VIES PASSÉES, SANTÉ FUTURE

Un médium révèle les secrets pour être en bonne santé et entretenir de bonnes relations interpersonnelles

Sylvia Browne

avec Lindsay Harrison

Adapté de l'anglais par Christian Hallé

Titre original anglais : Past lives, future healing

Révision : Denise Pelletier
Traduction : Christian Hallé
Typographie et mise en page : François Doucet
Graphisme de la page couverture : Carl Lemyre
ISBN 2-89565-066-7
Première impression : 2002
Dépôt légal : troisième trimestre 2002
Bibliothèque Nationale du Québec
Bibliothèque Nationale du Canada
Photo de l'auteure : ©Kevyn Aucoin

Éditions AdA Inc.
172, des Censitaires
Varennes, Québec, Canada, J3X 2C5
Téléphone: 450-929-0296
Télécopieur: 450-929-0220
www.ADA-INC.com
INFO@ADA-INC.COM

Diffusion
Canada : Éditions AdA Inc.
Téléphone: 450-929-0296
Télécopieur: 450-929-0220
www.ADA-INC.com
INFO@ADA-INC.COM
France : D.G. Diffusion
Rue Max Planck, B.P. 734
31683 Labege Cedex
Tél : 05-61-00-09-99
Belgique : Vander- 32.27.61.12.12
Suisse : Transat- 23.42.77.40
Imprimé au Canada

Participation de la SODEC et de PADIÉ.
Gouvernement du Québec - Programme de crédit d'impôt pour l'édition de livres - Gestion SODEC.

Données de catalogage avant publication (Canada)
Browne, Sylvia
Vies passées, santé future
Traduction de : Past lives, future healing.
ISBN 2-89565-066-7
1. Réincarnation. 2. Réincarnation et psychothérapie. I. Titre.
BL515.B7614 2002 133.9'01'35
C2002-941241-2

Autres ouvrages de Sylvia Browne :

Blessings from The Other Side
Adventures of a Psychic
The Other Side and Back
Life on The Other Side

Parus aux Éditions AdA :

La vie dans l'Au-delà
Les bénédictions de l'Au-delà

VIES PASSÉES, SANTÉ FUTURE

Un médium révèle les secrets pour être en bonne santé et entretenir de bonnes relations interpersonnelles

DÉDICACES

De la part de Sylvia :

À Lindsay Harrison, qui est non seulement ma meilleure amie et ma collaboratrice, mais aussi mon âme sœur. Et à tous ces êtres chers qui ont cru en moi, ici et dans L'AU-DELÀ.

De la part de Lindsay :

À *mon* âme sœur, Sylvia Browne, qui, en rédigeant sa dédicace la première, m'a ôté les mots de la bouche. Je reprends donc à mon compte sa dédicace et j'ajoute, de ma part et de la part d'innombrables lecteurs, ces quelques mots de remerciement : « Merci mon Dieu pour Sylvia ! »

TABLE DES MATIÈRES

INTRODUCTION

Ce livre vous aidera à comprendre comment votre vie de tous les jours est affectée par vos vies passées via une force appelée « mémoire cellulaire. »

Vous découvrirez dans ces pages comment et pourquoi la mémoire cellulaire fonctionne.

Vous apprendrez à travers les récits de mes clients comment, en voyageant dans le temps, ils ont découvert les racines insoupçonnées de leurs problèmes, ainsi que certains talents cachés.

Et grâce à ces récits, vous trouverez dès aujourd'hui la clé qui vous permettra de changer radicalement de vie en déverrouillant votre mémoire cellulaire, en acceptant les vies passées qui vous enrichissent et en rejetant celles qui pèsent sur votre vie depuis plus longtemps que vous ne pouvez l'imaginer.

Ces récits ont été sélectionnés parmi les milliers de cas de régression que j'ai supervisés au cours de mes vingt-cinq années d'étude sur les vies passées et la mémoire cellulaire. Bien que tous ces récits soient vrais et bien documentés, je voudrais spécifier que les véritables noms de mes clients n'ont pas été utilisés dans ce livre, leur droit à la confidentialité et à l'intimité étant pour moi sacré.

Je veux aussi m'adresser aux sceptiques et aux critiques qui semblent prendre un malin plaisir à dénigrer tous les ouvrages traitant de spiritualité et de vies passées, ainsi que les personnes qui, tout comme nous, croient passionnément et sincèrement que l'une des promesses de Dieu au moment de notre création était, est et sera toujours la survie de notre âme éternelle :

Je vous en prie, soyez sceptiques. Critiquez-moi. Je ne fais pas que l'accepter, je vous y encourage, pour autant que vous fassiez preuve d'ouverture d'esprit lorsque vous vous penchez sur ces sujets et ceux qui les traitent, et pour autant que vous offriez en retour à la société quelque chose d'aussi crédible, d'encourageant, de réconfortant et de respectueux de ses croyances. Je vous en prie, assoyons-nous à la même table, face à face, sous l'œil de la caméra si vous le souhaitez, et discutons-en. Je viendrai avec mes quarante-huit années d'études, de recherches, de lectures, de régressions dans des vies passées, de voyages autour du monde et de travaux comparatifs sur les différentes religions. Je pourrai partager avec vous mes recherches intensives sur vingt-six versions différentes de la Bible, sur Bouddha et Mahomet, le Coran, le *Livre des morts égyptien*, le *Bhagavad Gita*, sur les travaux de tous les experts, de Carl Jung à Joseph Campbell, de Edgar Cayce à Harold Bloom, de Elain Pagels à Eileen Garrett, sur la vie d'Apollonius de Tyane et celles des philosophes esséniens, sur le Shinto, la société théosophique et les Rosicruciens. Et finalement, je viendrai avec un véritable intérêt pour votre point de vue, une vie honnête centrée sur les dons que j'ai reçus de Dieu pour Le servir au mieux de mes capacités, et la conviction que vous avez sans doute quelque chose d'important à m'apprendre. Si vous venez avec autre chose que votre cynisme, considérez cela comme une invitation en règle de ma part et sachez que j'attends impatiemment cette rencontre.

Si vous vous demandez pourquoi je ressens le besoin de clarifier ce point – le contraire serait étonnant – je devrais peut-être vous raconter l'anecdote suivante. Récemment, alors qu'on m'interviewait pour le compte d'une émission d'information fort populaire à la télévision, l'un des producteurs mentionna que deux psychiatres devaient apparaître dans le même segment que moi. Selon eux, tous mes travaux et mes livres sur L'AU-DELÀ, le monde des esprits et les vies passées sont néfastes pour la société, car « ce ne sont que des élucubrations visant à réconforter l'esprit, qui retardent et interfèrent avec le processus de deuil. » Je lui ai dit que j'étais contente qu'il les ait invités – sans savoir qui étaient réellement ces deux psychiatres car on ne m'avait pas dit leur nom – et que je discuterais volontiers avec eux. Imaginez ma surprise lorsqu'on m'a annoncé que je ne pourrais pas les rencontrer ou même leur parler. On leur accordait du temps d'antenne à la fin du segment – en d'autres mots, après mon entrevue – afin qu'ils puissent présenter « un point de vue divergent. » J'ai demandé au producteur de reconsidérer la chose afin que je puisse au moins confronter mes détracteurs, débattre de leurs thèses et réfuter leurs arguments, mais cela était hors de question. « Ce n'est pas de la bonne télévision, » m'a-t-il répondu en substance. Après les avoir remerciés de leur invitation, j'ai mis un terme à l'entrevue et je suis partie.

Peut-être que je ne supporte pas les critiques ? Loin de là. Étant une personnalité médiatique connue pour son franc-parler, je doute qu'après cinquante ans de métier il existe une critique que je n'aie pas encore entendue ou une accusation à laquelle je n'aie pas encore été confrontée. En fait, depuis quelques années, et pour une raison que j'ignore, de parfaits inconnus m'abordent sur la rue, quand ce n'est pas au restaurant, pour me dire : « Hé bien ! je n'aurais jamais cru que vous étiez si belle. Vous êtes tellement laide à la télévision ! » J'ai en main une longue liste de témoins prêts à jurer que cette remarque me fait toujours pouffer de rire. Mais ne vais-je pas insister pour répondre à mes critiques plutôt que de laisser le dernier mot à des soi-disant experts qui ne m'ont jamais rencontrée, qui ne me connaissent pas et qui n'ont jamais eu la décence de discuter face à face avec moi ? Et comment ! Et si vous voulez vraiment scandaliser un bienfaiteur du genre humain, accusez-le de faire quelque chose de « néfaste pour la société. »

Non, les faux espoirs sont néfastes pour la société. Ce que je lui offre dans mes livres, et ce que je m'apprête à lui offrir dans celui-ci, est ce que je crois de tout mon cœur, de toute mon âme et de tout mon esprit, être – littéralement – la pure et simple vérité.

Il y a une citation de Teddy Roosevelt (pourquoi ai-je envie d'ajouter : « Hé bien ! ça alors » ?) que j'aime beaucoup et que je garde toujours à l'esprit, et que j'aimerais partager avec vous, non seulement en mon nom, mais également en votre nom, car je crois que nous devrions tous nous rappeler ce magnifique message et nous y tenir :

« Ce ne sont pas les critiques qui comptent, ce n'est pas l'homme qui signale aux autres qu'un grand homme a trébuché ou que les gens qui préfèrent l'action à la parole auraient pu faire mieux.

Le crédit revient en fait à l'homme qui a sauté dans l'arène ; à celui dont le visage est recouvert de poussière, de sueur et de sang ; qui s'acharne vaillamment ; qui se trompe et rate de peu, encore et encore ; qui fait preuve d'enthousiasme, de dévotion et qui se dépense sans compter pour une juste cause ; qui au mieux connaîtra le triomphe de grands accomplissements ; et au pire, s'il échoue, échouera en faisant preuve d'une grande audace, si bien que sa place ne sera jamais aux côtés de ces âmes timides et froides qui n'ont jamais connu ni victoire ni défaite. »

À ma famille bien-aimée, amis, pasteurs, clients, auditoires, collègues, à ceux qui sont encore à venir et aux sceptiques ouverts d'esprit dans cette arène où je me tiens fièrement, je tiens à vous dire merci, je vous aime et que Dieu vous bénisse.

Sylvia C. Browne

PREMIÈRE PARTIE

LES MYSTERES DE LA MÉMOIRE CELLULAIRE

PROLOGUE

Il faisait noir et froid, c'était la fin d'une longue journée, et j'espérais, en quittant mon bureau, que j'arriverais chez moi avant le début de la tempête qui s'annonçait imminente. Mais comme je m'apprêtais à dire au revoir à mon personnel, je remarquai que Michael, mon assistant, était aux prises avec un appel qui visiblement le troublait. Il se tourna vers moi, prononça le nom d'une cliente que j'avais eu le bonheur de connaître quelques années plus tôt, et me fit comprendre par sa gestuelle qu'elle pleurait. J'entrai dans mon bureau, fermai la porte et décrochai le téléphone, prêtant à peine attention au sourd grondement du tonnerre qui faisait vibrer la fenêtre à côté de moi. « Robin, c'est Sylvia. »

« Oh, Sylvia ! Dieu merci j'ai réussi à te joindre. Tu es mon seul espoir. Ou peut-être devrais-je dire *notre* seul espoir. C'est au sujet de mon mari. » On pouvait entendre la peur dans sa voix tandis qu'elle me racontait sa troublante histoire. Quatre ans plus tôt, son mari, Rick, un architecte-paysagiste prospère, était allé comme d'habitude à l'épicerie, mais en était revenu une demi-heure plus tard sans provisions, complètement paniqué. Il s'était enfermé dans leur chambre et refusait de quitter la maison depuis. Il n'arrivait pas à s'expliquer cette soudaine et terrifiante agoraphobie, pas plus que Robin et la batterie de médecins et de psychiatres qu'il avait consultés pour lui faire plaisir. Malheureusement, après avoir dépensé des milliers de dollars en traitements et en médicaments, son état ne s'était pas du tout amélioré. Sa peur de quitter la maison lui avait naturellement coûté sa clientèle et sa carrière ; ils étaient au bord de la faillite. Bien qu'elle eût aimé l'homme qu'elle avait épousé dix ans plus tôt, Robin doutait de pouvoir continuer à vivre avec ce reclus aux abois qu'elle n'arrivait pas à aider.

« Je t'en supplie, Sylvia », dit-elle à travers ses larmes. « Je n'en peux plus, et lui non plus. En fait, si rien ne change, j'ai peur qu'il n'attente à sa propre vie. Tu sais que j'ai confiance en toi, alors dis-moi ce qu'il faut faire et je le ferai.

— Peux-tu l'amener ici ?

— Ne t'inquiète pas si je peux, je *l'amènerai*. Mais quand ?

— Maintenant. Tout de suite. Je vous attends. »

Trois heures plus tard, Rick et moi étions seuls dans mon bureau tandis que la pluie tombait violemment à l'extérieur. Il était d'une pâleur extrême, avec cet air émacié de ceux qui ont déjà été en forme, mais dont le corps a subi un stress de trop, et je remarquai que ses yeux gris semblaient hantés par une peur noire à fendre l'âme. Comme la plupart des clients qui souhaitent sincèrement s'en sortir, il se laissa facilement conduire en état de transe hypnotique. Je le ramenai donc à l'épicerie qui semblait avoir déclenché sa dépression quatre ans plus tôt. Tout était pour le moins banal, lorsque soudain il fronça légèrement les sourcils et ajouta : « Oh ! il y a un petit garçon dans le rayon des fruits et légumes. »

Je lui demandai ce que faisait ce petit garçon.

« Il prend une pomme et croque dedans, mais son père accourt aussitôt vers lui en criant : “ Ne mange pas ce fruit avant de l'avoir lavé, tu risques de t'empoisonner ! ” »

Poison. Un mot potentiellement traumatisant. Tandis que je le prenais en note dans mon carnet, je lui demandai : « Et est-ce que cela avait une signification particulière pour vous ? »

Il y eut un long silence avant qu'il ne réalise ce qui s'était passé : « J'avais oublié, mais oui, cela a une grande signification pour moi. J'avais quatre ans, ma famille était en vacances à Mexico. Quelques enfants jouaient près d'une canalisation d'eau ou d'un égout ou quelque chose du genre, et je voulais aller jouer avec eux, mais mon père m'a soudainement rattrapé et a crié à pleins poumons : “ Ne touche pas à cette eau, c'est du poison ! ” Je me rappelle que j'étais mort de frousse. »

Encore du poison. Deux fois au cours d'une vie. Et à chaque fois, un père et son petit garçon. Pas besoin d'être médium ou même plus intelligent que la moyenne pour relier ces deux événements. Mais les remontrances d'un parent à un garçon de quatre ans, peu importe leur force ou leur théâtralité, ne traumatisent pas nécessairement un enfant à ce point. Je répétai donc ma question : « Et est-ce que cela avait une signification particulière pour vous ? Cherchez plus loin dans votre passé, voyez si vous pouvez franchir le voile de cette vie et dites-moi s'il se présente quelque chose. » Même si je ressentais vivement qu'il y avait quelque chose d'enfoui dans la mémoire de son esprit, je ne pouvais rien pour lui. Il devait le trouver par lui-même.

« Ma peau », dit-il finalement.

« Comment est votre peau, Rick ?

— Elle est brune. D'un brun doré.

— Êtes-vous un homme ou une femme ?

— Je suis un homme. Grand. Musclé. Mes cheveux sont longs et noirs, et j'ai de grands yeux bruns.

— Où êtes-vous?

— En Amérique du Sud. Près de la côte. Au sommet d'une haute colline. Je suis assis dans la cour de ma maison d'où je peux apercevoir l'océan au loin.

— En quelle année sommes-nous ? »

Et sans la moindre hésitation, il répondit : « Mille quatre cent onze. »

« Êtes-vous seul ? »

Il fit non de la tête : « Mes conseillers sont avec moi. Je suis un Aztèque. Un dirigeant. Je suis un membre de la famille royale. On vient de me servir mon repas. Il y a de la tension dans l'air. Beaucoup de tension. Personne ne parle. On n'entend que le bruit de la mastication et des gobelets en métal sur la table de pierre. »

Soudain, sans avertissement, il se prit la gorge à deux mains ; il étouffait, pris de convulsions.

« Rick, que se passe-t-il ?

— On dirait que j'ai la gorge en feu ! On a mis quelque chose dans la nourriture ! Oh, mon Dieu ! J'ai été empoisonné ! Je me meurs ! Ces hommes m'ont assassiné ! »

Je m'assis sur le bout de mon siège et élevai la voix afin qu'il puisse m'entendre malgré son état de panique. « Cela ne se passe pas présentement. Vous ne faites que l'observer, vous assistez à un moment de votre vie qui s'est déroulé il y a fort longtemps. Vous êtes en sûreté. Vous n'avez absolument rien à craindre. Il s'agit d'une toute autre vie, et non de celle-ci, il n'y a pas de raison d'avoir peur. Dans la vie que vous vivez présentement, on ne vous empoisonnera pas, cela n'arrivera plus jamais. » Je poursuivis mon monologue d'une voix ferme et rassurante jusqu'à ce que l'étouffement et les convulsions de Rick cessent. Puis, trempé de sueur, il clopina jusqu'au sofa. Sa respiration redevint lente et tranquille. Il ne prit même pas la peine d'essuyer les larmes qui ruisselaient sur son visage, et je pensai au soulagement que ses larmes avaient dû lui apporter.

La femme de Rick, Robin, le regarda fixement lorsqu'il sortit de mon bureau et vit qu'il souriait. De toute évidence, il n'avait pas souri de la sorte depuis longtemps, et ce sourire fit renaître l'espoir dans ses yeux tandis qu'ils s'embrassaient.

Elle me téléphona quelques semaines plus tard pour m'apprendre que Rick était en bonne santé, joyeux et qu'il était même retourné au travail. Plus de trace de la panique qui l'avait maintenu captif pendant si longtemps.

« Le psychiatre de Rick n'arrive pas à y croire », me dit-elle. « Et tu aurais dû voir son expression lorsque je lui ai dit qu'il avait été guéri par un médium !

— Laisse-moi deviner », dis-je en riant, car ce n'était pas la première fois qu'une telle chose m'arrivait. « Le psychiatre prétend que j'ai guéri Rick uniquement grâce à une suggestion posthypnotique, n'est-ce pas ?

— C'est exactement ce qu'il a dit.

— Robin, si Rick n'avait besoin que d'une simple suggestion posthypnotique, pourquoi son psychiatre ne l'a-t-il pas faite lui-même ? »

Elle se mit à rire.

« C'est une bonne question. Je vais lui demander.

— Mais il y a encore mieux », dis-je. « Dis-lui que je travaille à un livre qui expliquera comment et pourquoi Rick a été guéri, il n'aura qu'à le lire en faisant preuve d'ouverture d'esprit. »

Au psychiatre de Rick, et à vous tous, laissez-moi vous présenter l'extraordinaire pouvoir de guérison de la mémoire cellulaire.

LA VÉRITÉ AU SUJET DE NOS VIES PASSÉES

Je veux que vous compreniez – car il ne suffit pas de croire, mais aussi de comprendre, au plus profond de votre esprit, là où se cache la vérité – que vous êtes éternel. La vie que vous menez à présent n'est qu'une courte escale au cours d'une odyssée sans fin, une étape pour l'âme unique et adorée que Dieu a créée uniquement pour vous, une étape que vous avez vous-même conçue afin de libérer votre plein potentiel. Votre vie actuelle ne se terminera pas avec votre mort. Elle se terminera lorsque votre esprit se sera libéré de votre corps et retournera dans La Maison d'où il vient, située dans une dimension supérieure et parfaite appelée L'AU-DELÀ.

Ce merveilleux don de l'éternité signifie que l'essence singulière que vous êtes existera toujours et pour toujours. Il n'est pas question que vous vous transformiez en non-entité philosophique ou imaginaire lorsque vous quitterez ce corps. Je parle de toute autre chose : je vous promets que vous serez toujours cet être réel, vivant et respirant que vous êtes présentement, qui pense et qui ressent, qui rit et qui grandit, qui change et qui apprend, qui aime et qui est aimé par Dieu à chaque moment au cours de sa vie sans fin. Et tout comme ce don de l'éternité signifie que vous existerez toujours, il signifie également que vous avez toujours existé.

C'est un fait. Vous êtes en vie depuis le début des temps, au cœur d'un magnifique continuum, allant et venant entre la Terre et L'AU-DELÀ. Vous avez vécu sur la terre dans de nombreux corps différents, à diverses époques, en divers lieux et dans différents contextes choisis avec soin par vous, tout dépendant des buts et des besoins nécessaires aux progrès de votre âme. L'expression « vie passée » peut porter à confusion et vous amener à croire que vous êtes en ce moment une personne distincte de celles que vous avez été précédemment. Certaines personnes pourraient penser qu'on vit, qu'on meurt et qu'on revient à nouveau à la vie. En fait, votre vie actuelle n'est qu'une étape au cours d'une vie unique, cette même vie éternelle que votre esprit a vécue et qu'il continuera à vivre pour toujours.

Si cela vous semble confus ou difficile à imaginer, le simple fait d'observer votre vie actuelle vous aidera à comprendre. Peu importe l'étendue de vos souvenirs conscients, on peut affirmer sans crainte de se tromper que depuis que vous êtes né, vous avez été un nourrisson ne pesant que quelques kilos, incapable de marcher, de parler ou de prendre soin de lui-même ; un petit enfant effectuant maladroitement ses premiers pas et apprenant petit à petit à quoi servent les toilettes ; un enfant de cinq ans, craintif ou enthousiaste, confus ou impatient lors de sa première journée en classe ; un jeune de treize ans découvrant le vertigineux chaos de l'adolescence ; une jeune personne de vingt ans, entrant dans l'âge adulte avec plus de bravade que de sagesse. En d'autres mots, vous avez déjà pris plusieurs formes physiques différentes au cours de cette vie, vous avez acquis de la maturité sur le plan physique et émotionnel, et appris de nombreuses leçons. Ces formes, cette maturité et ces leçons ne font pas qu'apparaître, puis disparaître comme si elles n'avaient jamais existé. Le nourrisson, le petit enfant, l'adolescent et la jeune personne que vous avez été ne sont pas apparus pour ensuite cesser brusquement d'exister. À travers eux, vous avez toujours été vous-même, un processus de création rare, complexe et sacré, comme tous les autres esprits jamais créés. Au moment où vous lirez ces lignes, et au moment où je les écrivais, vous et moi, nous ne sommes rien de plus et rien de moins que la somme de tous les instants que nous avons vécus, peu importe leur banalité ou leur intensité, et nous continuerons ainsi à changer et à évoluer, à apprendre et à grandir tout au long de notre vie.

Faites à présent un pas de géant en arrière et regardez dans votre esprit jusqu'à ce que vous entrevoyiez l'horizon intérieur le plus fantastique que vous puissiez imaginer, un horizon sans fin et parsemé d'étoiles, comme une bouffée de cet univers infini dont vous faites partie. Et tandis que vous faites ce pas de géant, regardez votre vie, les formes que vous avez prises et les phases que vous avez traversées, et vous comprendrez qu'elle reproduit en miniature la vie éternelle telle qu'elle a été conçue par Dieu. Peu importe les multiples visages que vous avez eus au cours des siècles précédents, les diverses étapes que vous avez dû franchir pour apprendre et grandir, les leçons et les changements qui vous attendent, ce ne sont que des bornes le long de votre parcours vers l'être le plus parfait, le plus exquis et le plus conscient que vous pouvez être – cet enfant adoré de Dieu qui veille sur chacun de vos souffles. Vos vies passées, qu'elles se soient déroulées ici ou dans La Maison, ne sont pas différentes des étapes franchies au cours de cette vie-ci, ce sont les pièces d'un même puzzle, les parties d'un même tout et, comme tous les autres moments de votre passé, elles affectent votre vie actuelle plus que vous ne pouvez l'imaginer.

UNE INTRODUCTION AUX VIES PASSÉES

Comme plusieurs d'entre vous le savent, je suis née médium, dans une famille possédant un héritage médiumnique vieux de trois cents ans. Malheureusement, si Dieu m'a donné plus que ma part de dons psychiques, j'ai aussi reçu plus que ma part de perspicacité spirituelle. Comme je peux voir et entendre facilement les esprits et les fantômes, je n'ai jamais douté de l'existence de L'AU-DELÀ et du fait que nos âmes peuvent transcender la mort. Mais lorsque ma grand-mère Ada, qui était ma meilleure amie, mon mentor, ma confidente et mon modèle, s'est mise à me parler de nos vies passées, je ne l'ai pas crue. Franchement, je ne pouvais pas imaginer pourquoi je devais m'en préoccuper. Premièrement, je croyais que l'expression « vies passées » signifiait que j'avais été différentes personnes, ce qui n'avait aucun sens pour moi – à quoi cela rimait-il dans l'agencement cosmique des choses ? Deuxièmement, si j'avais été un pionnier ou une courtisane française, ou même Cléopâtre dans une vie passée (ce qui n'est pas le cas, rassurez-vous), alors quoi ? Peu importe qui j'avais été, je devais quand même participer aux corvées et faire mes devoirs, côtoyer mon horrible mère et gérer une multitude de dons psychiques dont je ne savais pas quoi faire, si bien que je ne voyais pas l'intérêt de tout ce tapage autour des vies passées, et encore moins pourquoi je devais me donner la peine de les étudier ? Au lieu de cela, je préférais concentrer mes énergies à développer mon psychisme, à établir une meilleure relation avec mon Guide Spirituel, Francine, même si elle m'ennuyait à l'occasion, à jouer avec le feu avec les sœurs qui dirigeaient l'établissement catholique que je fréquentais et à tenter sans succès de rentrer dans le rang et être « normale », peu importe ce que cela signifiait.

J'ai décrit en long et en large dans *The Other Side and Back* et *Life on The Other Side* mes années de collège, mes études en religion, en littérature anglaise et en psychologie, et mon intérêt grandissant pour le métier d'enseignant. J'ai également décrit les cours d'hypnose intensifs qui me fascinèrent au point de devenir moi-même hypnothérapeute et qui m'amenèrent à intégrer des éléments d'hypnose dans ma pratique médiumnique. Dans ces mêmes livres, j'ai raconté comment un client qui était venu me voir pour un problème de surpoids se mit, sous hypnose, à me parler de la construction des pyramides, puis à prononcer un flot de syllabes incompréhensibles, si bien que je crus assister à une grave crise psychotique. La curiosité étant l'un de mes défauts, j'envoyai la cassette de cette session à un ami, professeur à l'Université Stanford, afin de connaître son avis. Quelle n'a pas été ma stupeur lorsqu'il me téléphona trois jours plus tard pour m'apprendre que ce flot de « syllabes incompréhensibles » était en fait un monologue cohérent dans un ancien dialecte assyrien correspondant parfaitement à l'époque de la construction des pyramides en Égypte, quelques millénaires plus tôt.

Ma grand-mère Ada m'avait beaucoup parlé de réincarnation, tout comme Francine, mon Guide Spirituel. Spirituellement, philosophiquement et psychologiquement, je savais déjà que nos âmes étaient éternelles, ce qui était certainement cohérent avec l'idée de vies passées. Mais c'est au cours de cet après-midi de grisaille, il y a de cela vingt-cinq ans, lorsque j'ai vu cet homme timide, mais au franc-parler, revivre spontanément une vie qui s'était déroulée sept siècles avant Jésus-Christ, que je me suis passionnée pour la réincarnation au point d'entreprendre des recherches exhaustives sur le sujet. À cette époque, je lisais tout ce qui me tombait entre les mains et j'étudiais auprès d'hypnothérapeutes ayant de l'expérience dans le domaine des régressions, plus déterminée que jamais à ne pas rester les bras croisés la prochaine fois qu'un client sous hypnose voyagerait dans le passé. J'appris ainsi à guider mes clients au milieu de cet immense réservoir de richesses enfouies dans leur propre passé, tout en m'assurant que cent pour cent des informations recueillies venaient véritablement d'eux, et non de moi. Et à mon grand étonnement, j'ai découvert que l'information qu'ils déterraient était non seulement fascinante, mais aussi d'une incroyable précision.

Entre-temps, j'avais mis sur pied et formé un petit groupe d'employés infatigables, rassemblés sous la bannière du *Nirvana Foundation of Psychic Research*. L'une des choses que je voulais clarifier dès le début de notre exploration du phénomène des régressions dans les vies passées était de savoir si ces expériences étaient valides ou non. Si mes clients venaient à nos sessions pour déverser un flot de détails colorés et fantaisistes, je n'y voyais pas d'inconvénients. Mais je ne voulais pas compromettre ma crédibilité en racontant des contes de fées à mes collègues de la communauté parapsychique, psychiatrique et médicale. Je me suis donc rapidement donné pour règle de ne pas décrire ou rapporter les cas de régression de mes clients avant d'avoir vérifié scrupuleusement que ces vies avaient bel et bien eu lieu. Cela n'a pas toujours été facile – c'était bien des années avant l'arrivée de l'ordinateur et d'Internet – mais nous avons scruté à la loupe les archives nationales et en particulier les extraordinaires archives de San Bruno dans le nord de la Californie. Lorsqu'un sujet sous hypnose nous disait être une femme du nom de Margaret Dougherty, ayant vécu à Boston en 1801, avec trois enfants et un mari cordonnier, nous rejetions ce témoignage comme étant de la pure fiction tant et aussi longtemps que nous n'avions pas la preuve qu'une femme du nom de Margaret Dougherty avait véritablement vécu à Boston en 1801, avec ses trois enfants et son mari cordonnier. Session après session, les uns après les autres, nos clients nous firent le récit de leurs vies passées, et des centaines de témoignages vérifiables vinrent grossir mes dossiers, si bien qu'il n'y eut plus aucun doute dans mon esprit : nous avions tous déjà vécu sur cette terre et toutes ces vies passées étaient sous bonne garde dans un coin de notre subconscient, attendant simplement d'être libérées.

En documentant ces cas de régression dans les vies passées, j'ai prouvé que nos esprits ne meurent jamais, ce qui est en soi une récompense plus que suffisante pour me satisfaire. Je ne me doutais pas que je venais à peine d'effleurer le sujet, car j'ignorais encore toute l'importance de nos vies passées. En fait, même si j'avais été témoin des miracles opérés par le déverrouillage de ces vies passées, il a fallu l'intervention de Francine, toujours aux premières loges dans L'AU-DELÀ, pour m'expliquer ce qui se passait réellement.

LE MIRACLE DES VIES PASSÉES

J'étais donc plus que satisfaite du nombre de régressions confirmées qui s'accumulaient dans mes dossiers – d'autant plus qu'il validait l'idée que nos âmes étaient éternelles – lorsqu'un client nommé Henri, et portant un collier cervical, entra d'un air distant dans mon bureau. Il m'expliqua qu'il avait commencé à ressentir des douleurs chroniques et des spasmes au cou au début de la trentaine et qu'il avait dépensé des milliers de dollars pour se faire dire par tous les médecins qu'il n'avait absolument rien. En fait, il s'était présenté à mon bureau ce jour-là afin de connaître ce que lui réservait l'avenir sur le plan professionnel, mais avec sa permission, je le mis sous hypnose afin qu'il puisse se détendre et relaxer avant le début de la séance, car il en avait bien besoin. C'est alors que soudain, il se mit à me raconter la vie qu'il avait menée en France en 1790, où, jeune veuf n'ayant plus rien à perdre, il s'était fait connaître pour sa hardiesse et son ardeur au combat durant la Révolution française, avant d'être guillotiné à l'âge de trente-trois ans. Nous fûmes tous les deux particulièrement émus de découvrir que la femme qu'il avait aimée et perdue deux cents ans plus tôt, était la même femme avec qui il vivait aujourd'hui, ce qui expliquait pourquoi ils avaient eu l'impression qu'ils étaient faits l'un pour l'autre la première fois qu'ils s'étaient rencontrés.

Trois semaines plus tard, alors que je donnais une conférence lors d'une soirée de bienfaisance, Henry fut le premier à m'accueillir lorsque je retournai en coulisse ; il avait l'air cent fois mieux et il s'était même débarrassé de son collier cervical. La douleur avait sensiblement diminué le lendemain de notre rencontre, et au bout de quatre jours, il s'était senti complètement guéri pour la première fois depuis des années, si bien qu'ils avaient décidé, sa femme et lui, de brûler cérémonieusement son collier dans la cheminée. Il n'en revenait pas. De nous tous, Francine, mon Guide Spirituel, fut la seule que la chose n'étonna pas, elle qui avait sans doute observé de loin toute l'affaire, s'était sûrement demandé combien de temps j'allais mettre pour découvrir que deux plus deux font quatre, alors que tout était pourtant si évident.

Si vous avez déjà assemblé les éléments du puzzle, vous êtes plus perspicace que je ne l'étais à l'époque. Des douleurs chroniques au cou apparaissant au début de la trentaine. Les médecins disant qu'il n'avait rien. Une vie antérieure se terminant sous le couperet de la guillotine à l'âge de trente-trois ans. Et une fois cela découvert, les douleurs qui disparaissent. Hé bien !

Francine a toujours observé cette règle : « Je ne peux te donner les réponses à moins que tu ne me poses les questions. » Or ce n'est pas si facile de poser les bonnes questions. Mais mon expérience auprès d'Henry m'amena à lui demander un soir : « J'aime bien prouver à mes clients que la mort n'existe pas, mais ces régressions dans les vies passées pourraient-elles servir à autre chose ? » Sa réponse allait changer le cours de mes recherches, l'orientation de mes travaux et la vie d'un nombre incalculable de clients.

Sa réponse fut : « Guérir. »

L'idée que les régressions dans les vies passées pouvaient servir à guérir m'enthousiasma au point que je ne me suis même pas posé la question à savoir comment ou pourquoi cela fonctionnait, je voulais simplement me prouver à moi-même que cela fonctionnait réellement. Francine ne m'avait jamais menti, et elle ne l'a toujours pas fait, mais elle sait mieux que quiconque que je suis une sceptique invétérée. Je ne l'ai jamais crue sur parole, ni personne d'autre d'ailleurs. Je devais en faire moi-même l'expérience et en vérifier l'exactitude encore et encore avant d'être convaincue. L'idée qu'on puisse guérir grâce aux régressions dans les vies passées n'allait pas faire exception.

Depuis mes tous premiers travaux sur le parapsychique et la spiritualité, j'entretiens des relations très stimulantes avec des membres de la communauté médicale et psychiatrique ; nous partageons nos idées, nous nous référons des clients et nous échangeons des théories et des résultats de recherche. Peu de temps après la révélation de Francine, comme plusieurs de ces collègues s'intéressaient également au phénomène de la réincarnation, nous planifiâmes la tenue d'un séminaire au cours du week-end sur le caractère fictionnel ou réel des vies passées et de l'immortalité de l'âme. Je trouvais que le moment était bien choisi pour tenter de guérir, grâce à une régression dans les vies passées, un volontaire choisi au hasard dans l'auditoire – il n'y avait rien d'arrangé, ni répétitions, ni scriptes et surtout pas de complices (*au grand jamais !*) pour falsifier l'expérience. Seule avec un parfait étranger, je voulais tenter une régression curative spontanée. Les autres invités n'étaient pas très enthousiastes, c'est le moins qu'on puisse dire, car ils se posaient tous la même question : « Et si cela ne fonctionnait pas ? »

Je haussai les épaules : « Hé bien ! cela n'aura pas fonctionné. Mais nous ne le saurons pas avant d'avoir d'essayé, n'est-ce pas ? »

L'auditorium était bondé ce jour-là. Je dois admettre, même si mes collègues et moi étions amis depuis des années, je me suis sentie quelque peu surclassée lorsque nous sommes montés sur la scène, en voyant la rangée de plaques devant nos chaises sur lesquelles on pouvait lire, pour autant que j'étais concernée : « M.D., Ph.D., M.D., Ph.D., Ph.D., M.D., et une certaine voyante. » Mais rien n'arrive à me détendre comme un microphone et des spectateurs qui ont suffisamment l'esprit ouvert pour prendre la peine de se déplacer.

Par esprit de contradiction, je choisis, pour le bien de la démonstration, le volontaire le moins enthousiaste, un homme séduisant qui visiblement avait du succès dans la vie, un courtier en hypothèques de la banlieue de Houston qui se présenta sous le nom de Neil. J'expliquai brièvement à Neil et à l'auditoire ce que j'attendais d'eux durant la séance d'hypnose, puis, juste avant de commencer, je lui demandai à brûle-pourpoint s'il y avait un problème physique ou émotionnel qu'il souhaitait aborder. Il me confia qu'il ressentait une douleur dans le pied droit qui n'avait jamais été diagnostiquée ou soignée adéquatement et qu'il avait peur que les gens qui prétendaient l'aimer se plaignent derrière son dos qu'il n'était pas à la hauteur – c'était bien la dernière chose à laquelle on pouvait s'attendre d'un homme à qui tout semblait réussir.

Neil était intelligent, sensible et d'une honnêteté rafraîchissante, exactement le genre de sujet que je cherchais, car il était évident qu'il allait dire la vérité, même si rien ne devait se produire et que ma pitoyable tentative de régression s'avérait une énorme perte de temps. Par la détente, je le fis entrer dans un état hypnotique et le ramenai tout doucement au moment de sa mort dans une vie antérieure, puis finalement au cœur même de cette vie. Soudain, j'eus l'impression qu'il se recroquevillait sur lui-même. Son pied droit se tortilla et se tourna vers l'intérieur. Sa voix devint grêle, anxieuse, triste et à peine audible. Il s'appelait Calvin, me dit-il. Il avait huit ans et vivait sur une ferme de la Virginie, en 1821. Il était né pied bot, ce qui faisait de lui un honteux fardeau pour ses parents qui avaient espéré un fils robuste pour les aider dans les travaux des champs. Ses camarades de classe se moquaient continuellement de lui ou l'ignoraient complètement, ses seuls amis étant les animaux domestiques de la famille. Pour eux, il était parfaitement normal, et ils l'aimaient d'un amour inconditionnel. Lorsque je ramenai Neil dans le présent, tout le monde pleurait dans l'amphithéâtre.

Puis, grâce à Francine, j'ajoutai pour la première fois avant de le « réveiller » : « *Et peu importe la douleur ou la peur ou les pensées négatives que vous avez ramenées de vos vies passées, que la blanche lumière de l'Esprit Saint vous en libère.* »

Il se redressa, son pied revint à sa position normale, puis il me remercia d'un air préoccupé tandis qu'il se levait et quittait la scène. Ce retour dans une vie passée l'avait visiblement troublé, comme tous ceux qui y avaient assisté. Quelques semaines plus tard, il me téléphona pour me dire que la douleur dans son pied droit avait disparu, et que lentement, mais sûrement, il avait arrêté de s'en faire pour ses proches et ce qu'ils pouvaient dire derrière son dos.

Après cette démonstration, mes collègues me posèrent une question qu'on m'a posée depuis, un bon millier de fois : « Comment sais-tu que cette soi-disant " vie passée " n'est pas qu'un fantasme créé par son esprit pour le soulager de sa douleur ? » La question mérite d'être posée. Je me la suis d'ailleurs posée lorsque j'ai commencé à pratiquer des régressions. Mais si ces vies passées n'étaient qu'une technique de survie inventée par notre esprit, pourquoi mes classeurs déborderaient-ils de preuves détaillées démontrant que ces « fantasmes » ont réellement eu lieu ? Et pourquoi mes clients fantasmeraient-ils invariablement sur des vies passées aussi banales ?

La réponse à laquelle je revenais le plus souvent était pourtant : « Qu'est-ce que ça peut bien faire, pour autant que cela les aide ? » Si une girafe à points mauves peut guérir quelqu'un, je suis prête à entrer dans mon bureau sur le dos d'un tel animal. Le fait que les régressions dans les vies passées guérissent me suffit, comme il suffit aux milliers de gens qui ont été libérés d'un lourd fardeau immérité.

J'étais prête à consacrer ma vie au pouvoir de guérison de la régression. Mais tout d'abord, il fallait que je découvre comment et pourquoi de tels miracles étaient possibles.

MÉMOIRE CELLULAIRE : LE LIEN ENTRE LE PASSÉ ET LE PRÉSENT

On ne peut pas dire que la biologie me passionnait durant mes années d'étude. C'est pourquoi lorsque Francine m'a informée que la clé de la guérison par régression s'appelait « mémoire cellulaire », je m'attendais à tomber sur quelque chose de trop compliqué ou de trop ennuyant pour moi. Je me trompais. Sachant que j'aimais suivre les raisonnements logiques les plus simples, elle me présenta une série de concepts de base :

- Nos corps sont composés de milliards de cellules qui interagissent entre elles.
- Chacune de ces cellules est un organisme vivant doué de sensations, qui pense et respire, et qui reçoit, retient et réagit littéralement à toutes les informations provenant de notre subconscient. Sous hypnose, par exemple, lorsque notre subconscient prend le contrôle, si on nous dit que le doigt de l'hypnotiseur est une allumette enflammée et que ce doigt est en contact avec notre bras, les cellules de notre bras formeront une cloque, faisant exactement ce pour quoi elles ont été programmées en cas de brûlure.
- C'est dans le subconscient que notre esprit spirituel vit en toute sûreté, toujours sain et intact, peu importe que notre esprit conscient soit en santé ou non.
- Notre esprit spirituel se souvient de tous les moments dont nos âmes ont fait l'expérience, au cours de cette vie et de toutes les vies que nous avons vécues depuis notre création.
- Lorsque notre esprit spirituel entre dans notre corps physique, il insuffle dans nos cellules toute l'information et tous les souvenirs dont il dispose, et nos cellules réagissent en conséquence jusqu'à ce qu'il quitte à nouveau notre corps pour retourner dans La Maison.
- Nos cellules réagissent très concrètement aux souvenirs de cette vie et de nos vies passées insufflés par notre esprit spirituel, peu importe que notre esprit conscient en soit conscient ou non.
- C'est pourquoi en accédant à ces souvenirs cellulaires, nous pouvons nous libérer des maladies, des phobies,

> des douleurs et des traumatismes longtemps enfouis en nous et retrouver la plus grande santé physique et émotionnelle que nos esprits aient jamais connue.

La mémoire cellulaire représente donc le savoir contenu et exécuté par nos milliards de cellules, savoir insufflé par l'esprit spirituel qui les habite au passage, en attendant que celui-ci poursuive son voyage vers l'éternité que Dieu lui a promise au moment de sa création.

J'ai affirmé que vous aviez déjà fait l'expérience à échelle réduite de votre mémoire cellulaire, possiblement sans trop y penser sur le moment. L'odeur d'une fleur ou d'une eau de Cologne ou de pain frais, une chanson inattendue à la radio, la vue d'une balançoire sous un porche ou d'une courtepointe d'enfant ou d'un arbre de Noël ; n'importe quelles images sensorielles peuvent brouiller les liens entre le passé et le présent, vous ramener dans le temps et vous ensevelir sous une avalanche de détails familiers. Mais alors votre souvenir n'est pas seulement d'une étonnante clarté, vous vous sentez envahi par toute la gamme des émotions que vous aviez ressenties à ce moment-là, comme si vous reviviez les mêmes événements à nouveau. Or, notre esprit ressent cette même impression de familiarité lorsqu'il se retrouve à nouveau dans un corps humain, après avoir passé des années, des décennies, voire des siècles en apesanteur dans la dimension infinie et parfaite appelée L'AU-DELÀ. Les liens entre le passé et le présent se brouillent, chaque cellule de notre corps est inondée par la réalité des diverses époques et des divers lieux que nos esprits ont habités lorsqu'ils étaient dans d'autres corps, et comme elles sont en vie et douées de sensations, nos cellules se mettent à réagir à tout ce qu'elles perçoivent comme étant vrai.

Par exemple, Neil, le volontaire que j'avais choisi dans l'auditoire, avait démontré comment fonctionnait la mémoire cellulaire avant même que je n'eusse compris sa nature. Après que les cellules de Neil eurent reçu de son esprit une série d'informations, tous les événements douloureux et irrésolus qui avaient marqué la vie de ce jeune garçon appelé Calvin, redevinrent réels, présents et pertinents pour les cellules du corps qu'il occupait actuellement, et lui causèrent une douleur physique et émotionnelle bien réelle. Mais dès que son esprit immatériel eut découvert cette « épine » dans son passé, il la retira et Neil put finalement guérir.

Et au cas où j'aurais encore douté du pouvoir de la mémoire cellulaire, peu de temps après le début des enseignements de Francine, je rencontrai par « hasard » (comme si le hasard existait...) deux personnes qui m'ont convaincue que j'avais affaire à un fait indiscutable. Cette première personne s'appelait Julie, une femme au début de la cinquantaine. Un médecin de ma connaissance venait de lui transplanter un nouveau rein, mais Julie, qui n'avait jamais fumé ou touché à un verre d'alcool de sa vie, s'était réveillée après l'opération avec une irrésistible envie de fumer et de boire un martini – les deux passions de son donneur. Or il s'avéra que je fus en mesure de la débarrasser de cette envie grâce à l'hypnose, en convainquant les nouvelles cellules que ces besoins n'étaient pas pertinents pour le nouveau corps qu'elles venaient d'intégrer.

Ma deuxième rencontre fut beaucoup plus dramatique, mais je n'aurais jamais pensé qu'elle se terminerait sur une note aussi harmonieuse. Molly, alors âgée de dix ans, venait de recevoir le cœur d'un jeune homme de dix-sept ans appelé David, qui était mort poignardé. Quelques mois après l'assassinat de David, alors que la police ne disposait que de peu d'indices et n'avait toujours pas arrêté de suspect, Molly se mit à faire des cauchemars. Elle rêvait d'une sombre silhouette portant un masque de ski terrée dans un coin avec un couteau. Grâce à l'hypnose, Molly réussit à maîtriser sa peur, à retirer le masque de ski, et à identifier le visage d'un jeune homme appelé Martin, et bien qu'elle n'eût jamais vu ce visage ou entendu ce nom, il s'avéra qu'il s'agissait d'un vieil ami de David. On en informa la police et Martin fut arrêté pour subir un interrogatoire. Finalement, il confessa le meurtre, tout cela grâce à la mémoire cellulaire et à son interaction avec la vérité cachée au fond de notre esprit.

À cette époque, je me sentais par rapport à la mémoire cellulaire comme de nombreux amis à moi par rapport à leur ordinateur : plus j'en apprenais, plus je réalisais qu'il y avait de choses à apprendre, et plus je voulais en savoir. Et il s'avéra que j'avais à peine effleuré le sujet.

MARQUES DE NAISSANCE

Un neurologue qui partageait ma passion pour la recherche – et dont j'étais la bonne amie – me demanda un jour de participer à une étude qu'il était en train de mener sur l'existence d'un lien entre les marques de naissance et les maladies congénitales. Étant convaincu que les marques de naissance n'étaient pas que des formations pigmentaires aléatoires, il me demanda de sonder mes clients réguliers pour voir, entre deux séances de voyance et de régression dans les vies passées, si je pouvais établir un lien entre leurs marques de naissance et leur état de santé.

Même si je ne me levais pas la nuit pour réfléchir à la signification des marques de naissance, j'acceptai pour faire plaisir à un ami. S'il devait s'avérer qu'il avait raison, cela pouvait mener à de nouvelles et fascinantes possibilités sur le plan des diagnostics médicaux. Mais pour être honnête, j'en doutais fortement, et mon enthousiasme était sans doute un peu forcé lorsque je lui répondis : « Bien sûr, cela me fait plaisir, tu peux compter sur moi. »

Excusez-moi de reprendre une histoire que j'ai déjà racontée dans un autre livre, mais une première est une première, et c'est un client appelé Billy qui m'a aidée à faire mes premiers pas dans l'étude des marques de naissance. Il était venu me voir pour une régression dans l'espoir d'apprendre qui, parmi les personnes dans son entourage, il avait déjà connu dans une vie passée. De ce côté, la chance ne fut pas au rendez-vous. En fait, la seule vie passée qui l'intéressait était celle d'un Amérindien de vingt-deux ans qui avait vécu au début du dix-neuvième siècle, et qui était mort au bout de son sang au cours d'une bataille, après avoir reçu un coup de couteau à la jambe droite, quelques centimètres au-dessus du genou. Le récit de cette existence courageuse, palpitante et tragique m'avait captivée au point que j'oubliai de lui demander, avant qu'il ne quitte mon bureau, s'il avait ou non une marque de naissance. Il en avait une, une seule. Une tache de couleur mauve, comme une mauvaise cicatrice qui refuse de guérir, quelques centimètres au-dessus de son genou droit. Je me rappelle que j'avais longuement contemplé d'un air incrédule cette marque de naissance, ce qui n'avait pas manqué de mettre le pauvre homme un peu mal à l'aise. Comme il ne se souvenait pas de ce qu'il avait dit au cours de la régression, il ne pouvait comprendre mon hébétude devant ce qui ressemblait exactement à une cicatrice vieille de deux cents ans, située à l'endroit précis où il avait été mortellement atteint.

Je notai la chose en passant, croyant qu'il s'agissait d'une extraordinaire coïncidence, puis, après la séance, j'envoyai une note à mon ami neurologue lui disant que Billy n'avait pas de maladie, congénitale ou autre, reliée à cette marque de naissance. Tout cela était néanmoins intrigant et avait suffisamment piqué ma curiosité pour me convaincre de ne pas abandonner mes recherches. Par la suite, pour m'assurer que mes clients n'allaient pas tenter de deviner mes intentions et d'apporter leurs propres explications, je pris soin de ne jamais aborder la question des marques de naissance avant la fin d'une régression. C'est ainsi qu'au fil des semaines et des mois, je découvris qu'il n'y avait pas de corrélation entre les marques de naissance et les maladies, mais que *quatre-vingt-dix pour cent* des marques de naissance pouvaient être reliées à un accident grave ou fatal ayant eu lieu dans une vie passée.

Un professeur d'université qui était mort au bout de son sang en Chine, au seizième siècle, après qu'on l'eut amputé de la jambe, arborait une longue et mince tache rougeâtre au milieu de la cuisse. Une couturière à la retraite avait une décoloration en forme de diamant sur l'épaule gauche, exactement à l'endroit où s'était plantée la flèche d'un Indien sioux au milieu du dix-neuvième siècle. Un éleveur de chevaux qui avait été pendu à Salem après avoir été accusé de sorcellerie me montra après la séance la marque de naissance de couleur blanche d'environ quinze centimètres qu'il avait autour du cou. Un policier avait depuis sa naissance une marque d'un centimètre de large derrière la tête où ses cheveux avaient toujours refusé de pousser et qui correspondait, comme par hasard, à l'endroit précis où un amant jaloux avait planté une hachette dans son crâne, en Égypte, au tournant du siècle. Un musicien de studio avec une vilaine balafre de couleur sombre sur la cheville droite, régressa jusqu'à une vie cauchemardesque qui s'était déroulée en Angleterre en 1789, et où il avait passé des mois attaché, par les mains et les pieds, sur un lit dans un asile d'aliénés.

Ces récits ne tardèrent pas à s'accumuler dans mes dossiers, leur nombre allant jusqu'à plusieurs centaines. Encore une fois, si j'avais pu établir un lien entre les marques de naissance et les vies passées pour seulement la moitié ou les deux tiers de mes clients, le phénomène ne m'aurait pas fascinée à ce point. Mais je ne pouvais ignorer un pourcentage de quatre-vingt-dix pour cent, surtout qu'il s'accordait parfaitement avec mes autres recherches sur la mémoire cellulaire. La conclusion s'imposait d'elle-même : au moment de pénétrer dans un nouveau corps, l'esprit transmet aux cellules l'exact souvenir des traumatismes et des blessures graves qu'il a subis au cours de ses vies antérieures. En retour, les cellules portent les marques physiques de ces blessures du passé, comme des cicatrices venues d'un autre temps.

Vous vous posez sans doute des questions au sujet des dix pour cent de mes clients pour lesquels je n'ai pu établir de lien entre les marques de naissance et les vies passées. Il s'agissait en fait de clients qui n'avaient pas de tache de vin, et il semble qu'il y ait aussi une explication à cela. Ce n'était pas l'absence de vies passées qui était en cause. Ces gens avaient connu de graves traumatismes dans leurs vies passées, mais ils avaient été réglés au cours de ces mêmes vies. Par exemple, si on vous a pendu pour vol de chevaux dans une vie antérieure, mais que vous étiez innocent, il se peut que vous portiez encore les marques de cet événement irrésolu sous la forme d'une tache de vin, par contre, si on vous a pendu pour vol de chevaux, mais que vous étiez réellement coupable, le problème a été résolu et vous n'en porterez pas les marques. Si vous êtes mort au cours d'un incendie, vous avez probablement une cicatrice venue du passé correspondant à vos brûlures, mais si vous êtes mort au cours d'un incendie que vous avez vous-même allumé, vous n'aurez pas de marques de naissance puisque votre vie s'est terminée sans question à régler.

Donc, si vous n'avez pas de marques de naissance, vous pouvez vous féliciter d'avoir laissé derrière vous certains conflits du passé. Mais si vous en avez une, ne soyez pas obsédé par ces conflits qui n'ont pas encore été réglés. À l'avenir, chaque fois que vous regarderez votre tache de vin, prenez plutôt le temps d'apprécier ce rappel du caractère sacré de votre propre éternité.

RÉSONANCE MORPHIQUE

J'étais plongée dans l'étude de la mémoire cellulaire depuis quelques années, tâchant d'en apprendre un peu plus chaque jour, surtout grâce à Francine, à mes propres travaux, à l'extraordinaire ouverture d'esprit et à la générosité de mes clients, lorsqu'un homme charmant du nom de Mark se présenta pour une séance de voyance. Au cours de la conversation, à brûle-pourpoint, il se mit à me raconter un récent voyage en Angleterre. Je reconnus rapidement une certaine expression et un ton que j'avais souvent rencontrés, un intéressant mélange d'impatience et de répugnance, c'est pourquoi je lui assurai que je savais ce dont il avait besoin : « Tu peux tout me dire, Mark. Avec la vie que j'ai eue, comment pourrais-je te traiter de fou? »

Il se mit à rire, poussa un soupir de soulagement, et me déballa son histoire dans un flot de paroles qu'il refoulait vraisemblablement depuis des semaines. « Toute ma vie, j'ai voulu visiter Londres », dit-il. « Mais je n'ai jamais su pourquoi. Personne dans mon entourage n'y était jamais allé et j'avais même relativement peu lu sur le sujet. De toute façon, à ma première journée là-bas, je me suis inscrit à une visite guidée de la ville. Au bout de cinq minutes, je fus envahi par un sentiment étrange, comme si cet endroit, où je venais pour la première fois, m'était familier, comme si j'y étais chez moi, et que j'avais toujours vécu ici. J'avais beau me répéter que c'était impossible, je dus reconnaître que je savais effectivement où je me trouvais. Après avoir tourné au coin d'une rue, je savais que nous nous dirigions vers la cathédrale St. Paul, puis qu'il y aurait un parc sur notre droite et un bâtiment à notre gauche dont l'entrée était gardée par deux lions en pierre. Je pensais : "Nous sommes dans Chelsea" ou encore "Nous arrivons à Scotland Yard", quelques secondes avant que le guide ne l'annonce au microphone. Ce genre de choses s'est reproduit tout au long de ces deux semaines, et en particulier au cours d'une journée où j'avais loué une voiture afin de visiter une petite maison de campagne, à quelque cent kilomètres au nord de Londres. Arrivé sur place, j'aurais juré que cette maison était un ancien pub, je ressentais une étrange nostalgie, et les mots "Mon pub préféré a disparu" me traversèrent l'esprit. Je n'ai pas résisté à la tentation d'interroger les gens du village voisin qui m'assurèrent que cette maison avait bel et bien été un pub trois générations plus tôt. J'en suis encore tout secoué, et depuis mon retour, je n'ai pas osé en parler à personne. J'ai peur qu'ils ne me croient pas, mais je ne peux pas les blâmer. Pouvez-vous m'expliquer comment de telles choses sont possibles ? Suis-je un médium ou suis-je fou, ou les deux ? »

En fait, Mark n'était ni médium, ni fou. Il a tout simplement fait l'expérience d'un phénomène relié à la mémoire cellulaire appelé « résonance morphique » qui, selon Francine, s'apparente à un cas de *déjà vu*, mais puissance 10. La résonance morphique se produit lorsque notre esprit spirituel est confronté à un lieu ou à une personne avec lesquels nous avons été profondément liés dans une vie antérieure, notre esprit conscient est alors inondé de souvenirs et se rappelle tous les détails se rapportant à ce lieu ou à cette personne. L'esprit conscient de Mark ne pouvait pas savoir qu'il avait déjà visité la ville auparavant, mais son esprit spirituel gardait d'heureux souvenirs de non pas une, mais de deux vies passées là-bas, du petit pub de campagne qu'il avait possédé au cours de l'une de ces vies, un peu comme nous nous rappelons nous-même la chère maison de notre enfance ou le bon ami que nous avons connu à l'école. Grâce à la résonance morphique, ces souvenirs étaient si puissants qu'ils devinrent une partie intégrante de sa conscience mentale et émotionnelle – il ne savait pas seulement s'orienter dans la ville, il avait également l'impression d'être à sa place, d'être chez lui, impression qu'il ne pouvait ni comprendre ni renier.

J'étudiais la mémoire cellulaire et la résonance morphique depuis plusieurs années, canalisant les exposés de Francine sur le sujet, lorsque je suis allée au Kenya pour la première fois de ma vie. C'est là que j'ai compris qu'il y avait un monde de différence entre parler de résonance morphique et en faire l'expérience. À l'instar de Mark qui avait toujours voulu visiter Londres, j'avais toujours ressenti l'étrange besoin de visiter le Kenya sans même jamais me demander pourquoi. C'est donc avec l'enthousiasme d'un enfant à Disneyland que je descendis de l'avion dans la capitale kenyane de Nairobi. Plus je voyais du pays, et plus je l'aimais et plus j'acquérais la conviction que j'y reviendrais à plusieurs reprises (treize fois jusqu'à présent, pour être précise). Mais la résonance morphique ne se produisit à grande échelle, au point de me bouleverser, qu'à mon arrivée à Mombasa, coloré et animé port de mer au bord de l'océan Indien. J'y fus accueillie par un groupe d'universitaires et d'archéologues qui vivaient dans la région depuis des années et qui me proposèrent de me faire visiter les lieux. Mais soudain je m'exclamai : « Attendez, ne me dites rien sur cette ville, laissez-moi vous la décrire. » Et sans la moindre hésitation, je me mis à leur montrer le chemin et à leur indiquer les principaux sites touristiques, allant même, à certaines occasions, jusqu'à leur préciser ce qui avait existé sur tel site où se trouvait aujourd'hui quelque chose de tout à fait différent. Je connaissais Mombasa comme si j'y avais grandi, ce qui était le cas pour mon esprit spirituel. J'entendis un homme chuchoter à un autre : « Je t'avais dit qu'elle était voyante. » Le fait d'être voyante n'avait rien à voir là-dedans. Il s'agissait du même phénomène de résonance morphique, du même écho venant du passé de nos âmes éternelles, que nous pourrions tous entendre et ressentir au cours de cette vie si nous portions un peu attention, au lieu de le repousser.

C'est la vérité. Que vous ayez ou non connu une expérience de résonance morphique en pénétrant dans un lieu, je peux vous garantir que vous en ferez tôt ou tard l'expérience avec une personne ou un groupe de personnes. Tout comme vous pouvez connaître une ville étrangère au premier regard comme s'il s'agissait de votre ville natale, il peut vous arriver de connaître un étranger comme si vous aviez grandi ensemble, et même si votre esprit logique vous dit que vous voyez cette personne pour la première fois, voir vos âmes s'échanger un torrent immédiat de souvenirs silencieux, subtils et inconscients. Je ne parle pas des mythiques « âmes sœurs » ou des âmes apparentées que nous rencontrons dans L'AU-DELÀ. Je parle de ces gens qui vous inspirent immédiatement des pensées du genre : « Hé bien, regarde qui est là ! », mais dont les attributs physiques et sexuels, le nom qu'ils se donnent et le métier qu'ils exercent n'ont aucune importance pour vous. Je n'ai pas besoin de vous dire qui sont ces gens autour de vous. Je vous promets que si vous examinez un peu votre famille, vos amis et vos collègues de travail, et même vos ennemis, en faisant preuve d'ouverture d'esprit et en vous posant cette simple question : « Est-ce que j'ai déjà connu cette personne ? », vous serez en mesure d'y répondre très rapidement par un oui ou par un non, et ce, pour chacune d'entre elles. Repensez ensuite au moment où cette familiarité qui vous semblait impossible s'est imposée comme une évidence dans votre esprit, et vous comprendrez exactement ce qu'est la résonance morphique, et plus important encore, vous connaîtrez ce miracle qui consiste à regarder dans les yeux d'une autre personne et d'y voir la preuve que notre âme est immortelle.

MÉMOIRE CELLULAIRE ET VOYANCE

Elle s'appelait Cathy. Mi-trentaine, jolie, intelligente, prospère, heureuse en ménage et mère de deux beaux enfants. Elle était venue me voir pour une séance de voyance, car elle avait beaucoup de mal à accepter la mort de sa mère, morte un an plus tôt. L'intensité de son chagrin la troublait, surtout qu'elles n'avaient jamais été très proches l'une de l'autre et qu'elles ne s'aimaient pas particulièrement. Notre discussion sur le chagrin nous mena à une discussion sur la perte d'un être cher, qui nous mena à son tour à une discussion sur sa propre peur de perdre un être cher, et avant longtemps nous abordâmes ce qui était au cœur de cette peur et qu'elle avait tout simplement projeté sur la mort de sa mère : elle était terrifiée à l'idée de perdre son mari, non pas au profit d'une autre femme, mais de mort prématurée.

D'un point de vue logique, cela n'avait pas beaucoup de sens. Nick, son mari, était en pleine forme, prenait grand soin de sa santé et on ne comptait aucun cas de maladies graves dans sa famille. Cathy et Nick s'étaient rencontrés par l'entremise d'un ami commun lorsqu'ils avaient seize ans, et elle se rappelait encore avoir pensé, la première fois qu'elle l'avait vu : « Voici l'homme que je vais épouser. » Huit ans plus tard, il lui donna raison. Leur mariage se portait bien, et ils formaient un couple heureux et stable. Mais au lieu de se détendre et d'apprécier sa chance, la vie de Cathy avait toujours été obscurcie par l'idée qu'elle allait survivre à Nick, au point où elle vivait le deuil de son mari plusieurs décennies à l'avance. L'idée qu'elle allait lui survivre était si bien ancrée en elle, qu'elle n'y voyait qu'une seule explication : il devait s'agir d'une prémonition.

Heureusement, il y avait une autre explication : Cathy était sous l'emprise de la mémoire cellulaire de non pas une, mais de deux vies passées, que j'avais découvertes avant même d'avoir recours à une séance de régression. Tout comme mes pouvoirs de voyance me permettent de lire les plans de vie pour cette incarnation, ils me permettent également d'avoir accès aux plans de vie pour les vies passées. Ainsi, j'ai pu lui expliquer qu'ils vivaient ensemble pour la troisième fois et qu'ils avaient planifié cette vie d'un commun accord afin de rattraper le bonheur qui leur avait glissé deux fois entre les doigts. Si Cathy a su au premier regard que Nick serait son mari, ce n'est pas parce qu'elle prenait ses rêves pour la réalité. Elle l'avait reconnu grâce à son plan de vie et à ses précédentes incarnations au cours desquelles Nick lui avait été arraché violemment, au moment où leur vie commune ne faisait que commencer. Pour autant que sa mémoire cellulaire était concernée, Nick mourait toujours trop tôt lorsqu'elle habitait un corps humain, il était donc compréhensible qu'elle s'attende à ce que cela se reproduise à nouveau.

Habituellement, lorsque nous devons nous débarrasser d'un problème qui s'enracine dans notre mémoire cellulaire, une régression s'avère plus efficace et va plus en profondeur qu'une séance de voyance. Regardons les choses en face, il est toujours préférable de faire soi-même l'expérience de quelque chose que de simplement en entendre parler. Qu'une simple séance de voyance ait permis à Cathy de se débarrasser de sa peur en dit long sur son degré de préparation et sa volonté de régler ce problème. Cela confirme également la justesse de mon analyse des vies passées de Cathy et de Nick, même si tout le mérite en revient à Dieu, et non à moi. Car s'il est possible de duper nos esprits conscients, et souvent avec une facilité désarmante, nos esprits spirituels sont par contre infaillibles lorsqu'il est question de faire la différence entre une vérité et un mensonge. C'est un fait, gravé dans le granit. Si pour la divertir, j'avais raconté à Cathy que leurs précédentes incarnations avaient été un véritable conte de fées, elle aurait sans doute apprécié la séance de voyance, mais sa peur de le perdre aurait été aussi grande que lorsqu'elle était entrée dans mon bureau. Croyez-moi, je n'ai pas travaillé si fort pendant quarante-huit ans pour que mes clients se réveillent un jour, une semaine ou un mois plus tard avec la conviction que nos rencontres n'ont servi à rien. Et c'est exactement ce qui arriverait si mes lectures et mes régressions dans les vies passées n'étaient pas la vérité, car il n'y a que la vérité qui fasse une impression durable sur nos âmes.

MÉMOIRE CELLULAIRE ET LE MONDE DES TÉNÈBRES

Le fait que je puisse lire les plans de nos vies passées et ceux de nos vies actuelles a amené bien des gens, y compris des amis et des membres de la communauté psychiatrique, à me demander si je pouvais retracer les vies passées des gens mauvais qui se terrent parmi nous, ces êtres destructeurs, ces sociopathes souvent fort habilement déguisés et qui appartiennent à ce que j'appelle Le Monde des Ténèbres, afin de voir si je pouvais trouver un « remède » pour corriger les erreurs de comportement enfouies dans le passé de leur esprit.

J'ai parlé longuement du Monde des Ténèbres dans *The Other Side and Back* et dans *Life on The Other Side*. Ces êtres maléfiques ont choisi de se détourner de Dieu et de consacrer leurs énergies à la destruction de Sa lumière partout où elle se trouve. Ils sont impitoyables, manipulateurs, souvent charmants et charismatiques, et totalement dépourvus de conscience. Malheureusement, ils ne vivent pas à l'écart de la société et ne font rien pour se distinguer des gens ordinaires. Certains êtres maléfiques réalisent leur plan de destruction en perpétrant de véritables meurtres, comme Adolf Hitler, Charles Manson, Ted Bundy et Jim Jones. D'autres passent leur vie à détruire en silence notre foi, notre respect de nous-même, nos espoirs, notre amour, notre confiance et notre tranquillité d'esprit. On les retrouve parmi nos parents, nos enfants, nos collègues de travail, nos époux ou nos amants, nos politiciens, nos vedettes de cinéma, nos vedettes sportives, et même nos soi-disant meilleurs amis. Ils séduisent ceux d'entre nous qui aimons Dieu et tous Ses enfants en nous appelant à l'aide et en profitant de notre compassion et de notre foi en la bonté intrinsèque du genre humain pour s'approcher de nous et nous désarmer. Ils sont la raison pour laquelle j'ai souvent dit que les esprits fantomatiques autour de nous ne me faisaient pas peur ; c'est contre les résidents du Monde des Ténèbres qui ont pris forme humaine que nous devons nous protéger.

Après leur mort, ces êtres maléfiques choisissent librement de ne pas retourner dans la joie sacrée de La Maison. Ils choisissent plutôt de s'engouffrer dans un néant sans fond et creux d'où Dieu est absent appelé la Porte de Gauche, puis de revenir sur terre dans un utérus, perpétuant ainsi un cercle vicieux qui peut durer des siècles, jusqu'à ce qu'ils soient interceptés à mi-parcours par des sauveteurs soucieux et vigilants venus de L'AU-DELÀ et enfin purifiés dans la lumière éternelle de Dieu.

Les êtres du Monde des Ténèbres se réincarnent donc dans un utérus sans connaître les bienfaits du paradis entre deux vies, sans l'aide des Guides Spirituels et des Anges qui accompagnent la plupart d'entre nous hors de La Maison, et sans le plan de vie que nous concevons nous-même pour garantir notre progrès spirituel. S'ils avaient des plans de vie pour chacune de leurs incarnations, ces plans seraient très simples : « Faire le plus de dommages spirituels, émotionnels, psychologiques et physiques possible. »

Et c'est pourquoi, ce qui n'est pas sans provoquer certaines frustrations chez moi, je suis incapable de lire les plans de vie des êtres maléfiques : ils n'ont pas de plans de vie, que ce soit pour leur vie actuelle ou les vies qu'ils ont déjà vécues. Dans un sens, il serait sans doute fascinant, et probablement instructif, de pouvoir connaître les existences passées de Charles Manson ou de Saddam Hussein, ou de connaître les êtres maléfiques vivant parmi nous qui ont déjà été Hitler, Jack l'Éventreur ou Jim Jones. Au début de ma carrière, je me demandais souvent ce que je ferais si un de ces êtres maléfiques s'assoyait dans mon bureau pour une séance de voyance ou une régression dans les vies passées. J'en suis venue à la conclusion que cela n'arrivera jamais. Les êtres maléfiques ne s'intéressent pas à leurs progrès sur le plan spirituel, même si certains d'entre eux en parlent avec brio et s'ils croient pouvoir ainsi séduire leur auditoire. Ils ne se préoccupent pas de leur relation avec Dieu ou avec le reste du genre humain, et ils ne cherchent surtout pas à savoir s'ils ont atteint leurs buts, puisqu'ils ne s'en sont jamais fixés. Contrairement au reste d'entre nous, leur passé ne peut être retracé, ni par eux, ni par nous. Non seulement est-il impossible pour eux de régresser dans une vie passée, mais en plus ils s'en fichent complètement.

Si pendant que vous lisez ces lignes, vous devenez nerveux au point de vous demander si vous n'êtes pas un habitant du Monde des Ténèbres dont les vies passées ne sont qu'un cycle ininterrompu d'abus et de destructions, voici votre réponse : le simple fait de vous questionner démontre que cela vous préoccupe, et Le Monde des Ténèbres ne se préoccupe jamais, au grand jamais, de ce genre de chose.

LA COMMUNAUTÉ MÉDICALE

Depuis le début de ma carrière, j'entretiens des relations saines et respectueuses avec de nombreux membres de la communauté médicale et psychiatrique. Même les médecins les plus sceptiques ont dû convenir, après quelques conversations, que je n'étais pas l'arnaqueuse loufoque et enjôleuse, toujours prête à vider le portefeuille de ses clients, qu'ils imaginaient, mais que je partageais au contraire leur détermination passionnée à améliorer le sort de mes clients. Et ils savaient qu'ils pouvaient compter sur moi pour mettre les choses au clair avec tous ceux que je rencontrais : *Aucun médium, moi y compris, ne doit se substituer à un médecin qualifié ou un psychiatre professionnel.*

Lorsque je commençai à parler de mémoire cellulaire à mes amis médecins, le moins qu'on puisse dire, c'est qu'ils n'accueillirent pas cette découverte par des exclamations du genre : « La mémoire cellulaire ! Bien sûr, c'est parfaitement logique ! » En fait, si je n'avais pas déjà établi ma crédibilité comme médium, je suis sûre qu'ils m'auraient ri ou qu'ils m'auraient raccroché au nez, ou les deux. Étant moi-même sceptique, je ne pouvais les blâmer d'avoir du mal à croire que nos problèmes physiques et psychologiques s'enracinaient pour la plupart dans des expériences de vies passées non résolues. Mais ils étaient d'accord avec moi sur un point essentiel : si cela fonctionnait, il fallait tenter le coup. De plus, mes travaux sur la mémoire cellulaire ne représentaient aucun risque et je n'avais jamais accepté d'argent pour une consultation de nature médicale ou psychiatrique, nous n'avions donc rien à perdre et tout à gagner.

Comme toujours, ces consultations s'avérèrent par définition très intenses, mes amis médecins me référant des cas pour lesquels ils avaient tout essayé sans jamais obtenir de résultats. Le premier appel vint d'un chirurgien pratiquant dans un hôpital pour vétérans et concernait un patient nommé Royce. Royce s'était blessé gravement au dos et avait subi plus d'une douzaine d'opérations qui devaient en principe le remettre sur le chemin de la guérison. Mais depuis des semaines, la douleur était devenue si constante et abominable qu'il suppliait ses médecins de lui sectionner la colonne vertébrale, préférant être totalement paralysé que de souffrir une minute de plus.

Néanmoins, le chirurgien qui me téléphona souhaitait désespérément – et c'était tout à fait compréhensible – explorer des avenues moins radicales, même si cela devait impliquer des concepts aussi loufoques et ridicules que « médium » et « mémoire cellulaire ».

J'eus le cœur brisé à la seconde où je suis entrée dans sa chambre d'hôpital, rien qu'à le voir étendu là, les yeux ternes d'avoir souffert trop longtemps, le teint gris et l'air hagard. Après lui avoir expliqué qui j'étais et le but de ma visite, il eut la gentillesse de souffler : « Merci d'être venue. » Le pauvre avait un tel besoin de soulagement qu'il entra en hypnose avec une facilité déconcertante, compte tenu de ses souffrances.

Une demi-heure plus tard, Royce me racontait la vie heureuse qu'il avait menée en Georgie en 1855, sous les traits d'un certain Thomas. Calmement, il me décrivit d'une voix traînante sa femme et ses quatre fils, ainsi que les joies de son dur labeur sur la ferme qu'ils partageaient avec ses parents. Il était fier de voir toute sa famille se rendre à la messe tous les dimanches, beau temps, mauvais temps, et d'entendre son plus jeune fils réciter le Notre Père par cœur depuis qu'il avait quatre ans. Un jour de printemps, alors qu'il venait d'avoir trente-huit ans, Thomas était en train de repeindre la maison de ses parents lorsque soudain l'échelle s'effondra ; il fit une chute de deux étages et se brisa le dos. Il demeura paralysé jusqu'à la poitrine pendant presque trois mois avant de mourir. Son dos brisé devait finalement l'entraîner dans la mort. Mémoire cellulaire numéro un.

Puis l'action se transporta en Espagne, en 1721. Royce s'appelait désormais Paolo, un jeune garçon de dix-huit ans, fils privilégié de l'aristocratie locale. Une jolie jeune femme de vingt-deux ans nommée Cristina était la grande passion de sa vie, mais malheureusement, elle était mariée à son frère aîné. Une nuit, alors que Paolo rentrait chez lui après avoir rendu clandestinement visite à Cristina, son frère l'attira dans une embuscade et lui enfonça une hache dans le dos, le tuant sur le coup. Mémoire cellulaire numéro deux.

Je priai Royce de libérer ses blessures du passé dans la blanche lumière du Saint-Esprit afin que son corps puisse se concentrer sur la douleur actuelle au lieu de se raccrocher à la croyance que les blessures au dos sont inévitablement atroces et fatales. Il était épuisé, mais serein, lorsque je le ramenai à la réalité, et c'est en esquissant un faible sourire qu'il me chuchota : « Pas étonnant que je me sente comme un homme qui aurait un couteau entre les omoplates. » Il dormait déjà lorsque je me glissai sans bruit hors de sa chambre.

Trois semaines plus tard, le chirurgien de Royce me téléphona pour m'apprendre les dernières nouvelles. Après ma visite, Royce n'avait plus jamais demandé à ce qu'on sectionne sa colonne vertébrale. En fait, il avait montré les signes d'une formidable réadaptation, demandé pour la première depuis des mois à se lever de son lit et effectué fièrement à l'aide d'un déambulateur quelques pas qui le rendirent fou de joie. Pour clore la conversation, le chirurgien me dit quelque chose que j'ai souvent entendu depuis que je m'intéresse à la mémoire cellulaire : « Je ne sais pas ce que vous lui avez fait, mais cela a fonctionné. » Je lui ai répondu ce que je réponds toujours dans ces cas-là : « La guérison ne vient pas de moi, mais de Dieu et des personnes qui participent à la régression. Je ne fais qu'ouvrir la voie afin que leur esprit spirituel puisse pénétrer dans ces lieux auxquels ils aspirent depuis si longtemps. »

À peu près à la même époque, je rencontrai, par l'entremise d'un psychothérapeute que j'avais connu à l'université, une athlète professionnelle du nom de Talia. Cette dernière avait subi une commotion cérébrale durant une séance de qualification en vue des olympiques d'été et n'arrivait plus à parler depuis qu'elle avait repris conscience. Les médecins lui avaient fait passer une batterie de tests, mais n'avaient rien trouvé sur le plan médical qui puisse expliquer son silence.

Après quelques semaines de travail avec elle, une équipe psychiatrique avait finalement écarté toute possibilité de dérangement mental ou émotionnel. Mon ami psychothérapeute s'excusa en me laissant entendre qu'il me téléphonait « en dernier ressort », mais comme on m'avait déjà servi cette excuse des millions de fois, je n'en pris pas ombrage. Je n'ai rien contre l'idée d'être celle vers qui l'on se tourne en dernier ressort si quelqu'un a besoin d'aide.

Talia était, à la fin de son adolescence, une beauté naturelle en grande forme physique, aussi confuse que ses médecins quant à la perte de sa voix et naturellement effrayée par ce qui lui arrivait. Elle réussissait à présent à communiquer de courtes phrases grâce à un larynx artificiel qu'elle portait toujours sur elle. Elle se mit aussitôt à rire lorsque je lui dis de ne pas trop se plaindre puisqu'elle avait désormais la même voix que moi.

La première vie passée que revisita Talia s'était déroulée au Japon ; une vie heureuse et sans histoire ne contenant aucun indice sur le plan de la mémoire cellulaire qui put éclaircir sa condition actuelle. Mais au cours de la régression, elle fit preuve de beaucoup de répugnance lorsque vint le moment d'accéder à la vie suivante, et je dus la convaincre de prendre le temps de rester dans ce que j'appelle « la position de l'observateur », afin qu'elle puisse observer les événements qui la troublaient tant, sans avoir à les revivre. Finalement, ce n'est pas une, mais deux vies passées qui se manifestèrent, deux vies dont la description lui tira chaque fois des larmes. Dans cette première vie, elle était une petite fille syrienne de l'antiquité, s'enfuyant à toutes jambes, à la suite d'un effroyable tremblement de terre, du marché où elle faisait les courses avec sa mère. En tombant, un pilier lui avait fracassé la tête et l'avait clouée au sol. Elle avait lancé désespérément un dernier appel à l'aide avant de mourir, mais son propre sang avait formé une mare qui étouffa son cri, si bien que personne ne l'entendit.

Vint ensuite le récit d'une vie fascinante en Égypte. À seize ans, elle était superbe, vénérée par plusieurs et crainte par certains en tant que prêtresse et puissante prophétesse. Une nuit, malgré la présence des gardes engagés par son père pour la protéger, trois kidnappeurs se frayèrent un chemin jusqu'à sa chambre pendant qu'elle dormait, la frappèrent sur la tête pour l'assommer, l'amenèrent et la cachèrent dans une grotte. Pendant sa captivité, tandis qu'ils attendaient de recevoir une rançon, ils décidèrent de lui couper la langue, croyant ainsi qu'elle n'aurait plus de pouvoirs si elle ne pouvait plus parler. Ils la torturèrent jusqu'à ce qu'elle meure au bout de son sang, puis ils abandonnèrent le corps et ne furent jamais capturés.

Deux vies passées au cours desquelles un coup à la tête avait été immédiatement suivi par l'incapacité de parler ou d'être entendue, et aujourd'hui, à l'âge où elle avait souffert de ces blessures mortelles au cours de ses autres vies, elle avait subi une commotion cérébrale et était devenue aphone pour une raison inconnue. Soit il s'agissait d'un autre cas de mémoire cellulaire, soit, comme pourraient le croire bon nombre de sceptiques, l'esprit de Talia faisait de gros efforts pour inventer des histoires qui lui permettraient de surmonter son traumatisme. Tout ce que je sais – et tout ce qui compte pour moi – c'est que quinze ans plus tard, une femme au sourire radieux vint me rejoindre dans les coulisses d'un studio de télévision où je devais faire une apparition. « Bonjour, Sylvia ! Vous vous souvenez de moi ? » J'aimerais bien qu'il en soit autrement, mais un fait est un fait, et je dois presque chaque fois répondre « non ». Pour commencer, je ne retiens pas les noms et les visages. Ajoutez à cela les milliers et les milliers de clients que j'ai rencontrés au cours des quarante-huit dernières années, lors de conférences, de séances de signature, d'émissions de télévision et de radio dans plus de villes autour du monde que je ne peux m'en souvenir, sans parler des centaines de médecins, de policiers et de détectives privés. Je vous garantis que lancées à l'improviste, des phrases du genre : « Vous vous souvenez de moi ? », me laissent presque toujours désemparée. Mais je me souviens, par contre, des régressions et des séances de voyance qui m'ont beaucoup impressionnée, c'est pourquoi lorsque la femme ajouta : « Je n'utilise plus de larynx artificiel à présent », je me rappelai exactement qui elle était.

Je fus ravie d'apprendre que Talia s'était complètement remise après notre session de travail, mais je fus quelque peu désappointée d'apprendre que cela avait pris six mois. Je prévoyais des résultats beaucoup plus rapides, mais je ne blâme jamais mes clients si les résultats se font attendre – j'en prends toute la responsabilité. Je n'ai jamais voulu dispenser mon aide et mon soutien au compte-gouttes sur une longue période de temps, afin d'inciter un client à revenir encore et encore et à me signer chèque après chèque. À l'occasion, lorsqu'un client est particulièrement désespéré ou aux prises avec une série de problèmes tous plus compliqués les uns que les autres, j'organise une séance de voyance ou de régression afin de faire un suivi, mais je ne vais jamais plus loin que deux séances. Plusieurs de mes pasteurs sont devenus des hypnothérapeutes fort compétents spécialisés dans les régressions, mais je leur donne à tous des ordres très stricts : si jamais ils ont besoin de plus d'une ou deux sessions pour améliorer significativement la situation de leurs clients, ils doivent m'en informer et suivre une formation complémentaire avant de pouvoir continuer à travailler dans ce domaine particulier.

De toute façon, vous pouvez toujours compter – pour le meilleur ou pour le pire – sur le bouche à oreille. C'est d'ailleurs grâce à cela que j'ai pu me bâtir une clientèle en premier lieu. Je ne fus donc pas surprise, quelques années plus tard, de voir augmenter le nombre d'appels de gens souhaitant obtenir de l'aide grâce à une régression dans les vies passées, même si les médecins, les psychiatres et les clients qui me téléphonaient, n'étaient pas convaincus de la validité de ma théorie sur la mémoire cellulaire. Cela ne m'a jamais dérangée, et cela ne me dérangera jamais, puisque la vaste majorité de ces cas me sont référés par des médecins et des psychiatres qui ont lancé la serviette. J'adore être mise à l'épreuve. J'adore relever les défis. Et plus que tout, j'adore faire une différence dans la vie des gens.

MALADIES PSYCHOSOMATIQUES

Il n'y a rien de plus frustrant que de décrire une douleur ou une maladie à un médecin et de se faire répondre : « Tout est dans votre tête. » En fait, mon expérience m'a prouvé que cela était souvent le cas. Les douleurs et les maladies qui ne se manifestent pas nécessairement dans les échantillons de sang, sur les radiographies, lors d'une séance de résonance magnétique ou d'un CAT scan, sont habituellement appelées psychosomatiques, autrement dit, elles sont dans votre tête, dans votre subconscient, là où votre esprit spirituel vit et où votre mémoire cellulaire puise ses informations.

Ne vous méprenez pas, les médecins et les psychiatres ont tout mon respect, mais j'espère qu'ils élimineront un jour le mot « psychosomatique » de leur vocabulaire, car il implique qu'on vous réponde un jour : « Vous n'avez rien, vous pensez avoir quelque chose. » À ce client, assis dans mon bureau, qui vient de me décrire un problème qu'il juge important, je ne me vois pas lui répondre : « Ce sont des sottises, vous n'avez pas de problème ; vous pensez en avoir un. » Si vous me dites que cela pose problème pour vous, je vous crois. Et si je ne peux rien faire pour vous, vous ne m'entendrez *jamais* dire : « Hé bien, votre problème ne doit pas être réel ! » La responsabilité de trouver la bonne solution et/ou de vous référer à la bonne personne me revient, et vous devriez en demander autant à chaque médecin.

J'ai du mal à estimer le nombre de cas qui m'ont été référés par des médecins qui, après avoir décrit les symptômes de leurs clients, ajoutaient le commentaire suivant : « Je présume qu'il s'agit d'une maladie psychosomatique. » Ajoutez à cela tous les clients qui sont venus me voir de leur propre chef parce que leur médecin avait abandonné tout espoir de traiter leurs symptômes « psychosomatiques », et je suis sûre que la somme dépasse le millier. Une autre somme qui doit se chiffrer dans les milliers est celle des maladies « psychosomatiques » que j'ai guéries, simplement en libérant la mémoire cellulaire à l'origine de la maladie.

Le cas d'Elise est un exemple classique. Elle était venue me voir le jour de son trentième anniversaire au sujet d'un problème physique effrayant dont elle souffrait depuis l'âge de quinze ans. Environ trois ou quatre fois par semaine, sans avertissement et de façon aléatoire, sa gorge se contractait violemment, si bien qu'elle devait faire de grands efforts pour respirer jusqu'à ce que ses muscles se relâchent à nouveau, ce qui pouvait prendre entre quelques minutes et une heure. On ne comptait plus les fois où on avait dû l'amener d'urgence à l'hôpital afin qu'elle reçoive une injection qui détendait suffisamment sa trachée pour qu'elle puisse respirer et avaler normalement. Elle avait plusieurs amis toujours prêts à intervenir qui, lorsqu'ils recevaient un appel où ils n'entendaient que des halètements et le bruit du téléphone qu'on frappait désespérément contre le mur, savaient qu'ils devaient aussitôt téléphoner au 911 et envoyer une ambulance à l'appartement d'Elise. Quinze ans plus tard, Elise avait subi tous les tests que huit médecins différents avaient pu imaginer, ainsi que ceux de six autres psychiatres, mais aucun n'avait trouvé la cause physique ou psychologique à l'origine de ces spasmes effrayants et potentiellement mortels. Leur conclusion ? Elle souffrait d'une maladie psychosomatique. En d'autres mots, ils abandonnaient la partie.

Certains sujets, au cours d'une régression, aiment visiter plusieurs vies passées lorsqu'ils sont sous hypnose, par plaisir de la nouveauté, mais aussi pour la liberté que cela leur donne. Mais tel ne fut pas le cas d'Elise. Elle se rapporta aussitôt à une vie primitive qui s'était déroulée, il y a fort longtemps, en Afrique. Elle ne connaissait ni son âge, ni l'année en cours, car la petite tribu dont elle faisait partie ne calculait pas le passage du temps à l'aide de nombres. Elle savait par contre qu'elle était en âge de procréer depuis peu, donc au milieu de l'adolescence, et qu'elle était grande et svelte, quoique robuste, en raison du dur travail des champs. Sa peau avait la couleur de l'ébène et ses courts cheveux étaient protégés sous une sorte de turban coloré, tissé à la main et teint à l'aide de produits indigènes. Elle s'était éloignée du village afin de remplir une cruche d'eau, lorsqu'elle sentit que quelque chose avait bougé derrière elle et entendit un rugissement féroce. Elle se retourna et aperçut un lion qui s'était approché sans bruit et qui ne se trouvait plus qu'à quelques mètres, prêt à bondir. Avant même qu'elle n'eût le temps d'avoir peur ou d'appeler à l'aide, l'énorme félin bondit sur elle, la projeta au sol et, comme le font les prédateurs de la jungle lorsqu'ils veulent rapidement tuer leur proie, lui déchira la gorge avec ses crocs coupants comme des lames de rasoir. Elle mourut presque instantanément, mais elle se rappelait encore être sortie de son corps et d'avoir observé, avec une certaine dose de fascination, le lion emportant son corps.

Inutile de préciser le lien entre cette mort passée résultant d'une blessure au cou et la contraction chronique de sa gorge qui l'empêche dans cette vie de respirer et d'avaler. Elise m'en fit la remarque dès qu'elle se « réveilla ». Elle se disait « libérée », et le fait de prier Dieu pour qu'Il l'aide à se libérer de ce traumatisme longtemps enfoui dans ses cellules afin qu'il puisse être absorbé dans la blanche lumière de l'Esprit Saint, lui apporta visiblement beaucoup de soulagement.

Au cours du mois qui suivit sa régression, la gorge d'Elise se contracta encore à deux reprises. Chaque fois, les muscles se détendirent et sa gorge se réouvrit en l'espace de quelques minutes, sans qu'il soit nécessaire de faire appel à une aide médicale. Après ces deux épisodes, et au cours des dix-huit mois suivants notre dernière rencontre, cela ne se reproduisit plus.

Il est important de souligner dans le cas d'Elise, comme dans plusieurs autres cas où la mémoire cellulaire est à l'origine du problème, que son affection débuta à l'âge où s'était produit le traumatisme dans sa vie passée. Elle ne pouvait pas spécifier si elle avait exactement quinze ans au moment de sa mort en Afrique, mais dire qu'elle était depuis peu en âge de procréer correspond assez bien à l'âge qu'elle avait dans cette vie lorsqu'elle a souffert de ses premières contractions de la gorge. Si vous trouvez que tout cela n'est qu'une « coïncidence », vous êtes libre de le penser, mais vous devez reconnaître que ce genre de coïncidence donne froid dans le dos. Si tout comme moi, vous trouvez logique de faire appel à la mémoire cellulaire, nous dirons simplement que son esprit spirituel s'est souvenu qu'il se produisait quelque chose de grave au niveau de la gorge lorsque son corps atteignit l'âge de quinze ans.

Aucun médium de par le monde, moi y compris, n'a un taux de réussite de 100 %. Toutefois, j'arrive à apporter un soulagement significatif aux gens qui souffrent de problèmes physiques et émotionnels soi-disant psychosomatiques dans 95 % des cas. Suis-je plus intelligente, plus sage, plus talentueuse, ou plus compatissante et mieux intentionnée que les médecins et les psychothérapeutes qui n'arrivent pas à traiter ces gens ? Absolument pas. Serait-ce qu'ils n'ont pas encore essayé de résoudre les problèmes de leurs patients en faisant appel à la mémoire cellulaire ? Cela semble plutôt probable, vous ne trouvez pas ?

HYPOCONDRIE

Je me consacrais à l'étude de la mémoire cellulaire depuis deux ans, écrivant et donnant des conférences sur le sujet, et ne perdant pas une occasion d'en discuter avec mes collègues curieux quoique sceptiques, lorsque je reçus l'appel d'un interniste que je connaissais et que j'aimais bien depuis que nous avions participé ensemble à un groupe de discussion sur la guérison l'année précédente. Je sus aussitôt qu'il voulait me taquiner – bien que fort respectueusement – lorsqu'il débuta la conversation en disant : « Aurais-je un patient pour vous ? »

— Je gloussai et pris mon carnet de notes : « Allez-y docteur B., je vous écoute.

— Elle s'appelle Lorraine. Elle a soixante et un ans, elle compte parmi mes patients depuis quinze ans, et elle est aussi en forme qu'un cheval.

Alors, quel est son problème ?

— Tout ce que vous voudrez. Toutes les maladies rapportées dans les journaux ou à la télévision, elle est convaincue de les avoir et insiste pour que je lui fasse passer des tests de toute urgence afin de les dépister. Évidemment, rien ne l'irrite davantage que d'apprendre que tous les tests sont revenus négatifs et qu'il n'y a rien qui cloche chez elle. Plutôt que d'apprécier le fait d'être en bonne santé, elle passe sa vie à attendre la nouvelle d'une effroyable catastrophe.

— En d'autres mots », dis-je en soupirant, « vous m'envoyez une hypocondriaque.

— Exactement. C'est une femme charmante, Sylvia, mais elle est en train de nous rendre fous tous les deux, et je pensais que…

— Et vous pensiez qu'elle pourrait me rendre folle un certain temps, puisque je le suis déjà à moitié de toute façon, depuis cette absurde histoire de mémoire cellulaire », dis-je, ne plaisantant qu'à moitié.

Il se mit à rire : « C'est vous qui le dites. Moi, je n'ai rien dit. Mais si vous pensez que vous n'y arriverez pas, oubliez que j'ai téléphoné. »

Comme si j'allais tomber dans un piège aussi évident et enfantin !

Six heures plus tard, Lorraine était sous hypnose dans mon bureau. Plusieurs de mes collègues m'avaient mise en garde, disant que j'allais perdre mon temps. « Ne te tracasse pas pour rien », m'ont-ils dit. « Une chose est sûre, c'est que la plupart des hypocondriaques ne veulent pas perdre l'attention que leur procurent leurs maladies imaginaires. »

Bien entendu, je savais tout cela. J'avais déjà rencontré le même genre de problème avec des clients qui me suppliaient de les débarrasser d'un mauvais sort qu'on leur avait jeté et qui était en train de ruiner leur vie, du moins en étaient-ils convaincus. Vous ne pouvez pas imaginer leur ressentiment lorsque je leur expliquais qu'ils n'avaient pas besoin de moi pour s'en débarrasser, puisque les *mauvais sorts n'existent pas*. Comme si en évacuant la possibilité d'un mauvais sort, je leur enlevais une part essentielle de leur propre identité. Et lorsque je refusais d'accepter leur argent pour un service que je ne pouvais rendre de bonne foi, ils sortaient invariablement de mon bureau d'un air furieux. Incroyable, non ?

Mais je devais donner à Lorraine le bénéfice du doute et présumer que sa présence dans mon bureau signifiait qu'elle voulait sincèrement qu'on l'aide. Le Dr B. avait raison, c'était une femme charmante, et lorsqu'elle me fit la liste des symptômes et des maladies dont elle croyait souffrir, malgré toutes les preuves du contraire, elle semblait davantage troublée, qu'attachée à ceux-ci. Elle entra finalement sous hypnose sans manifester la moindre réticence.

La régression débuta lentement, mais au bout de quelques minutes, elle se mit à me raconter ses vies passées avec un tel flot de paroles qu'on aurait dit qu'une immense digue émotionnelle venait de céder. Les vies, en elles-mêmes, étaient plutôt banales, se succédant les unes après les autres. J'étais par contre fascinée par les façons étonnamment diverses dont ces vies avaient pris fin. Au cours de ses nombreux passages sur terre, Lorraine était morte du cancer du sein, de la lèpre, de consomption (ancien mot pour désigner la tuberculose), de pneumonie, du choléra asiatique, d'une rupture de l'appendice, de toxémie, de jaunisse – et cela ne concernait que les vies que nous avions survolées ensemble au cours des deux premières heures et demie.

Il est évident que pour chaque vie que nous vivons sur terre, nous allons mourir tôt ou tard de quelque chose. Mais ce que je découvris avec Lorraine, comme avec de nombreux autres hypocondriaques avec lesquels j'ai travaillé depuis, c'est une succession ininterrompue de morts lentes et pénibles, à l'opposé des morts soudaines et paisibles que nous expérimentons pour la plupart lorsque nous sommes prêts à retourner dans La Maison. C'est pourquoi lorsque l'esprit spirituel entre dans un nouveau corps, il infuse les cellules de celui-ci de souvenirs d'une multitude de maladies et de moments pénibles, et leur transmet le message que le corps humain est un domicile imparfait, inconfortable et malsain. C'est un peu comme si au cours de cette vie, vous aviez vécu dans une série d'appartements dans lesquels vous auriez été chaque fois confronté à des problèmes graves : plomberie qui fuit, panne de chauffage, infestation d'insectes, système électrique défectueux, voisins extrêmement bruyants. Après un certain nombre de mauvaises expériences, vous pourriez aménager dans l'appartement le plus sécuritaire, le plus tranquille et le mieux entretenu du monde, et ne pas être en mesure d'en profiter, étant donné vos expériences passées qui vous ont amené à conclure que si vous êtes dans un appartement, il y a forcément quelque chose qui ne va pas, peu importe que ce quelque chose se soit déjà produit ou non. C'est exactement ce qu'expérimente l'esprit spirituel des hypocondriaques lorsqu'il retourne dans un corps, et ce pourquoi il transmet aux cellules tous ces souvenirs et ces messages disant de prendre garde au moindre signe qui impliquerait que ce corps soit un désastre comme tous les autres corps précédents. Comme il n'existe pas de test médical ou psychologique qui permettrait de détecter les affections qui s'enracinent dans la mémoire cellulaire, les médecins et les psychiatres vous jureront que les hypocondriaques n'ont rien, mais qu'ils ont besoin d'attirer l'attention. En fait, les cellules des hypocondriaques ne se sont pas libérées des souvenirs de vies passées qui les maintiennent aujourd'hui sur le qui-vive et n'ont pas encore appris qu'un corps humain peut être un endroit sûr et confortable.

Contrairement à la majorité de mes clients, il fallut deux séances de régression à Lorraine pour trier toutes ses vies passées et les terribles maladies dont elle avait souffert. Mais finalement, lorsqu'elle les exposa à la lumière – autrement dit, lorsque toutes les épines lui venant de ses incarnations précédentes furent exposées et retirées afin que le processus de guérison puisse commencer – son hypocondrie disparut. Après avoir pris conscience que son corps actuel était en bonne santé, elle décida de prendre soin d'elle et continua à voir le Dr B., mais seulement pour un examen annuel. Aujourd'hui, à quatre-vingts ans, elle est toujours aussi florissante de santé.

Permettez-moi de souligner encore une fois que la mémoire cellulaire n'est pas la cause de tous nos problèmes physiques et psychologiques, et que personne n'apprécie davantage la communauté médicale et psychiatrique que moi. Je sais par contre, et j'en suis absolument certaine, qu'il n'y a pas de complément plus efficace à un sain régime de vie que la libération de la négativité issue de nos vies passées et contenue dans notre mémoire cellulaire. J'aimerais aussi que tous les médecins, les psychiatres et les psychologues essaient cette méthode avec leurs patients, ne serait-ce que pour me donner tort, puis qu'ils m'écrivent ou qu'ils me téléphonent à mon bureau pour me faire part des résultats. Encore une fois, que mes idées paraissent ridicules ou qu'on me trouve ridicule de les défendre ne me préoccupe pas. L'essentiel, c'est que la mémoire cellulaire fonctionne et guérisse. Alors s'il vous plaît, avec tout le respect que je vous dois, *ne l'écartez pas avant de l'avoir essayée.*

POINTS D'ENTRÉE ET L'AU-DELÀ

Nos régressions dans les vies passées et nos souvenirs cellulaires ne sont pas toujours négatifs. Loin de là. Parmi ces souvenirs, nous retrouvons le bonheur, la joie et l'amour que nous avons connus sur terre, et mieux encore, les merveilleuses vies que nous avons passées dans L'AU-DELÀ. Toutefois, nos souvenirs de La Maison sont plus difficiles d'accès que nos souvenirs de la terre, pour la bonne et simple raison que si nous nous rappelions L'AU-DELÀ trop distinctement, nous serions encore plus tristes d'être ici plutôt que là-bas. Mais quatre-vingt-dix-neuf fois sur cent, lorsque je reconduis mes clients vers leur mort afin qu'ils accèdent à leurs vies passées, ils me décrivent ensuite spontanément – sans intervention de ma part – la sensation d'être étreints par l'éclatante, la sainte et magnifique lumière de Dieu et leur arrivée dans le lieu le plus exquis qu'ils n'aient jamais vu.

En passant, une exception notable à cette règle prouve à quel point l'esprit spirituel est déterminé à profiter des occasions de guérison qui s'offrent à lui, et à quel point l'esprit spirituel du client prend les choses en main au cours d'une régression, mon rôle se bornant à celui d'accompagnatrice. Il s'appelait Alain, et il était venu me voir pour que je l'aide à se débarrasser de ce qu'il appelait sa « folle terreur » d'être seul. Même si toute sa vie, y compris celle de sa femme et de ses six enfants, ainsi que son emploi d'agent de voyage, étaient planifiés en fonction d'être constamment entouré de gens, il se retrouvait inévitablement seul de temps en temps pendant une heure ou deux. Il se mettait alors à pleurer, envahi par un sentiment de peur et convaincu que ces brefs moments de solitude étaient une sorte de punition pour quelque chose de mal qu'il n'arrivait pas à identifier, et encore moins à expier.

La première vie que revisita Alain avait été heureuse. Il vivait en Égypte et occupait un poste très accaparant, mais aussi très prestigieux, à l'intérieur de ce qu'il appelait la Garde Royale, l'une de ses premières responsabilités étant de divertir les dignitaires étrangers en visite. Lui, sa femme et ses dix enfants, vivaient avec ses parents et d'autres membres de sa famille dans une grande maison pleine d'amour et de rires. Il vécut plus de soixante ans et mourut soudainement d'un arrêt cardiaque.

Il me décrivit nonchalamment cette mort brusque et sans douleur, conscient qu'il s'agissait simplement d'un événement parmi tant d'autres à l'intérieur d'une vie beaucoup plus large qui ne prendrait jamais fin. Il parla aussi du soulagement qu'il ressentait à être enfin débarrassé du poids de son corps matériel, puis, comme je le fais toujours à ce moment-là, je lui demandai de me dire ce qu'il voyait. Il me dit qu'il voyait une verte prairie, plus précisément une vallée entourée de magnifiques montagnes, et des animaux.

Je hochai la tête, amusée de voir que mes clients passaient presque toujours quelques moments dans L'AU-DELÀ après une vie particulièrement heureuse, puis je lui demandai : « Et comment vous sentez-vous ? » Je tenais mon stylo au-dessus de mon carnet de notes, prête à noter sa réponse que j'imaginais tout aussi prévisible, lorsqu'au lieu des traditionnels « enchanté », « euphorique » ou « joyeux », il me répondit « délaissé. » Cette réponse me fit sursauter et je dus marquer un temps d'arrêt.

Je tâchai de camoufler ma surprise et ajoutai : « Où êtes-vous ?

— Au Pérou », dit-il.

Sans vouloir offenser les Péruviens, on était loin du paradis. En fait, Alain avait complètement déjoué mes attentes, ayant déjà fait le saut dans une autre vie. « Et que faites-vous au Pérou ? », demandai-je.

Il se mit à pleurer si fort que je ne pus lui arracher une seule parole. Je répétai encore et encore : « Prenez la position de l'observateur, Alain. Ce que vous voyez et ce que vous ressentez ne se produit pas présentement, tout cela s'est produit dans le passé, dans une autre vie, nous allons vous en débarrasser afin que cela ne vous fasse plus de mal à l'avenir. Séparez-vous de votre douleur. Observez-la. Regardez-la et décrivez-moi ce que vous voyez. » Au bout de quelques minutes, il se calma, mais les larmes continuèrent à ruisseler de ses yeux toujours clos.

Sa vie au Pérou était, semble-t-il, la conséquence d'un exil volontaire. Sa femme et son fils étaient morts dans l'incendie de leur maison, incendie provoqué par sa maîtresse devenue furieuse après qu'il eut mis un terme à leur relation. Alain n'était pas là au moment de l'incendie. Il s'était rendu dans le village voisin pour noyer sa peine dans un bar appartenant à un ami, puis il était finalement tombé ivre mort. Le lendemain, il se réveilla en plein cauchemar : sa femme et son fils étaient morts, sa maison n'était plus qu'un tas de débris et sa maîtresse s'était suicidée. Pour autant qu'il était concerné, il se sentait entièrement responsable de ce qui s'était passé. L'idée qu'il pouvait refaire sa vie ne lui effleura jamais l'esprit. Il avait l'impression qu'il ne méritait plus d'avoir une vie à lui ou de connaître un autre moment de bonheur. Il décida donc de partir, sans même dire au revoir à sa famille et à ses amis, de se couper délibérément de toutes les personnes et de toutes les choses qu'il aimait, afin d'aller vivre dans les montagnes, où il garda des moutons en échange d'un gîte, menant une vie taciturne et solitaire, avant de mourir de froid douze années plus tard.

Pas étonnant que le pauvre homme ait associé la solitude à une forme de punition, et quel affreux fardeau il avait dû porter jusqu'à ce que son esprit spirituel puisse enfin s'en libérer ce jour-là dans mon bureau. Mais une fois encore, même s'il m'avait quelque peu désarçonnée avec ce voyage au Pérou alors que je m'attendais à entendre parler de L'AU-DELÀ, son cas illustre bien comment notre âme aspire à la guérison. Jusqu'à ce qu'elles guérissent, nos cellules continuent à réagir comme si les blessures étaient réelles, actuelles et aussi douloureuses qu'au premier jour.

Depuis mon expérience avec Alain, je souhaitais trouver une façon plus rapide et plus efficace d'aider mes clients à se rendre directement à la vie ou aux vies passées qui leur posent problème sur le plan de la mémoire cellulaire, sans qu'ils aient besoin de traverser péniblement les vies passées qui ne sont pas pertinentes pour la résolution de ce qui les tracasse. Toutes les vies passées sont intéressantes, ne serait-ce que pour prouver au client que la mort n'existe pas et que nous sommes vraiment éternels. Mais lorsqu'un client est aux prises avec un problème spécifique qui le fait souffrir, pourquoi ne pas se rendre directement au lieu d'origine plutôt que d'errer au hasard ? Francine, mon Guide Spirituel, m'assura que cela était très simple : je n'avais qu'à diriger mes clients vers ce qu'elle appelait le « point d'entrée », nom qu'elle donnait au moment où s'était déroulé l'événement ou les événements qui avaient créé ces souvenirs cellulaires en premier lieu. Dans le cas d'Alain, le point d'entrée correspondait à la découverte que sa femme, son fils et sa maîtresse étaient morts à la suite d'événements qu'il avait lui-même mis en branle. Les points d'entrée de Lorraine correspondaient à toutes ces morts lentes et agonisantes qui l'amenèrent à être constamment à l'affût d'une nouvelle maladie mortelle. Toutes les mémoires cellulaires ont un point d'entrée, et il s'est avéré que lorsqu'il entend cette phrase, l'esprit spirituel, dans son désir d'être guéri, se dirige immédiatement vers celui-ci durant la régression. Depuis mon expérience avec Alain, les pasteurs que j'ai formés en hypnothérapie ont fait la même découverte : si un client veut résoudre un problème spécifique, particulièrement douloureux et enraciné dans une vie passée, la façon la plus rapide de le découvrir consiste à demander où se trouve le point d'entrée. Invariablement, cette « épine » qui le fait souffrir sera révélée dans le prochain récit qu'il fera d'une vie passée.

Récemment, les points d'entrée et les souvenirs de L'AU-DELÀ se marièrent avec une clarté magnifique et émouvante, au cours d'une régression avec une femme appelée Gloria. Son mari de trente-huit ans était mort soudainement le mois précédent. Ils avaient connu l'un de ces rares mariages où tout est magique, encore aussi amoureux l'un de l'autre au moment de sa mort qu'à l'époque où ils se fréquentaient au lycée. Elle était tombée dans ce gouffre de tristesse indescriptible qui survient lorsque nous perdons un être qui était devenu une part essentielle de notre âme et dont la mort nous fait sentir que notre vie sans lui ne sera jamais plus la même. Je me rappelle l'avoir prise dans mes bras à la minute où elle entra dans mon bureau, pensant : « Il y a le chagrin et il y a *cela.* »

Gloria avait pris rendez-vous pour une séance de voyance, mais je décidai qu'une régression serait sans doute plus utile. Je savais que nous allions découvrir qu'elle et Martin avaient vécu plusieurs vies ensemble et qu'elle serait rassurée d'apprendre qu'ils se retrouveraient à nouveau. Elle accepta donc mon offre, et compte tenu de l'intensité et de la profondeur de sa peine, elle tomba sous hypnose plutôt facilement. Gloria n'avait nul besoin d'errer d'une vie passée à l'autre pour aller au cœur de cette effroyable douleur qui l'étreignait, c'est pourquoi mes premiers mots furent : « Gloria, je veux que tu te diriges vers le point d'entrée. »

Pas un seul client ne m'a jamais demandé ce que cela voulait dire. Comme je le disais, l'esprit spirituel semble comprendre parfaitement de quoi il en retourne. Et Gloria ne fit pas exception à la règle. Elle me décrivit une vie dans le nord de l'Europe en 1721 et une autre en Italie au milieu du dix-neuvième siècle. Au cours de ces deux vies, Gloria et Martin avaient été amoureux. Elle avait été sa femme dans le nord de l'Europe et sa maîtresse en Italie. Le premier point d'entrée la mena en 1721, alors qu'elle était à son chevet, inconsolable de sa mort, lui qui la laissait seule à des milliers de kilomètres de la famille qu'elle avait quittée pour lui offrir sa vie. En 1850, ce qui correspond au second point d'entrée, elle mourut dans ses bras après avoir donné naissance à l'unique enfant qu'ils eurent jamais ensemble. Et à présent, la mort les séparait à nouveau. Pas étonnant que son chagrin fût aussi profond et douloureux. Grâce à la mémoire cellulaire, elle pleurait sa perte pour la troisième fois.

Je savais que cela la soulagerait un tant soit peu si elle avait la chance de déposer sa peine entre les mains de Dieu par l'entremise de la blanche lumière du Saint Esprit, mais je décidai de tenter quelque chose de plus efficace, quelque chose que je n'avais essayé auparavant avec aucun client. Puisque notre esprit spirituel porte en lui les heureux souvenirs de L'AU-DELÀ, et sachant que le périple de Martin jusqu'à La Maison avait été joyeux et sans embûche, je voulais voir si je pouvais réunir leurs esprits pendant un court moment. Grâce à cela, la personne dont elle avait le plus besoin pourrait la rassurer et la réconforter. Alors pendant que Gloria était toujours sous hypnose, je l'amenai à travers le tunnel que nous avons tous déjà emprunté à plusieurs reprises, puis je m'effaçai afin qu'elle puisse d'elle-même passer devant la lumière, retrouver sa Demeure et me décrire ce qui se passait. Comme vous le savez, si vous avez déjà vu un médium à l'œuvre, les esprits ne se manifestent pas toujours sur demande, c'est pourquoi j'avais pris soin de ne pas mentionner son nom ou de lui promettre qu'elle le verrait, au cas où ils ne se rencontreraient pas.

Puis je vis son visage se détendre et esquisser un sourire de satisfaction. Je lui demandai ce qu'elle voyait.

« Je suis dans un jardin, me dit-elle. C'est tellement beau que je ne sais pas par où commencer. On dirait que même les couleurs sont vivantes. J'aurais envie de dire que je n'ai jamais rien vu de pareil, mais d'une certaine façon, tout m'est familier. Je marche le long d'un sentier en pierres et je sais m'orienter. J'aperçois un édifice en marbre blanc dans le lointain, il est si blanc qu'on dirait qu'il brille. »

Si vous avez lu mon livre *Life on The Other Side*, vous avez sans doute reconnu, tout comme moi, l'exacte description des Jardins du Palais de Justice. Puis, je lui dis : « Continuez à marcher tant qu'il vous plaira, Gloria. »

Soudain, elle eut le souffle coupé.

« Que se passe-t-il ? » demandai-je.

Elle chuchota d'une voix respectueuse et intimidée : « C'est Martin. »

Bon, il l'avait finalement trouvée. Je lui demandai comment il était.

« Magnifique », dit-elle. « Il est heureux, en santé et toujours aussi jeune. »

Cela avait du sens, puisque tout le monde dans L'AU-DELÀ a trente ans, mais je n'allais pas l'interrompre pour si peu.

Il y eut ensuite un long et paisible silence, puis Gloria m'annonça : « Il est parti. »

Quelques minutes plus tard, elle se réveilla et se redressa sur mon sofa, visiblement préoccupée et émue par l'expérience qu'elle venait de vivre. « C'est drôle », me dit-elle. « Je lui ai dit que je l'aimais et qu'il me manquait beaucoup, et il m'a assurée qu'il était toujours à mes côtés. Mais je ne crois pas que nous ayons prononcé une seule parole de vive voix. » Il s'agissait en fait d'une conversation télépathique. Les esprits utilisent fréquemment ce mode de communication.

« Il m'a serrée dans ses bras avant de partir. Je pouvais sentir ses bras autour de moi. Vous allez trouver cela ridicule, mais je suis sûre d'avoir reconnu l'odeur de sa lotion après-rasage.

— Vos amis vont peut-être penser que c'est ridicule, mais croyez-moi, cela n'a rien de ridicule à mes yeux », dis-je.

« Franchement, je ne me soucie guère de ce que mes amis peuvent en penser ou de ce que quiconque peut en penser, d'ailleurs. Il n'y a pas de doute dans mon esprit : ce qui vient de se passer était réel, l'homme que j'ai vu était bien mon mari, et il était vivant et en santé. » Elle se leva et s'approcha pour me serrer dans ses bras. « Je n'oublierai jamais ce que vous avez fait, je ne sais pas comment vous remercier. »

Ce n'est pas à moi qu'elle devait adresser ses remerciements, mais à Dieu, à son esprit et à ses souvenirs cellulaires de L'AU-DELÀ, qui firent de son voyage une expérience simple et familière. Comme je le disais, c'était la première fois que j'utilisais la régression pour réunir un client avec un être cher décédé, et ce ne fut pas la dernière. Gloria me téléphona un mois plus tard pour me dire que même si elle était triste et que la présence physique de Martin lui manquait énormément, le fait de savoir avec une absolue certitude qu'il était avec elle, qu'il veillait sur elle et qu'il l'attendait, avait suffi à lui redonner l'espoir et le courage nécessaire pour prendre une douche, s'habiller et retourner au travail. Elle était finalement sortie de la torpeur émotionnelle qui la paralysait depuis la mort de son mari. Et puis regardons les choses en face, si vous avez déjà failli mourir de chagrin, vous savez qu'il faut du courage pour faire ces petits pas vers la normalité.

C'était encore un autre exemple du potentiel curatif de la mémoire cellulaire, et comme Gloria, je ne l'ai jamais oublié.

Dans les prochaines sections de ce livre, je partagerai avec vous quelques exemples de régression parmi les milliers de cas documentés auxquels nous avons assisté, moi et mes pasteurs, depuis le début de mes travaux sur la mémoire cellulaire. En plus d'être fascinantes, ces expériences de vies passées illustrent à merveille le caractère éternel de nos vies, ainsi que la richesse et l'abondance des connaissances et des souvenirs que nous apportons avec nous dans chaque nouvelle vie.

Mais ces récits ne sont pas que de simples illustrations. Vous découvrirez en les lisant une peur, une maladie physique chronique ou un problème auquel vous pourrez vous identifier, vous et les gens que vous aimez. En plus, vous referez le chemin qu'une personne a emprunté pour retrouver sa propre mémoire cellulaire, pour aller à la source de son problème, afin de pouvoir s'en libérer dans la pureté de la blanche lumière de Dieu et, en soignant les blessures du passé, créer un avenir plus sain et plus paisible.

DEUXIÈME PARTIE

PHOBIES ET AUTRES OBSTACLES ÉMOTIONNELS

LIZA

• LA PEUR DE L'ABANDON
• LE BESOIN D'AVOIR UNE FAMILLE

Liza avait trente-six ans. Elle était mariée avec Clint depuis quatre ans et, comme elle le disait elle-même, « désespérément » en amour avec lui. Dans son cas, « désespérément » signifiait qu'elle en faisait toujours trop pour lui plaire, non pas parce qu'elle avait peur d'être battue, mais plutôt parce qu'elle avait l'impression tenace que leur mariage était somme toute temporaire et que si elle le désappointait, il finirait par la quitter.

Par amour pour Clint et croyant que cela cimenterait leur relation, Liza avait voulu avoir un bébé dès leurs premières rencontres. Un an plus tard, voyant qu'elle n'arrivait pas à concevoir d'enfant, elle consulta une série de médecins qui lui firent passer une panoplie de tests, mais ironie du sort, elle avait à présent l'impression que tous ses efforts pour tomber enceinte avaient rendu la chose impossible. Clint s'était montré des plus rassurants et l'avait soutenue de son mieux, mais elle était convaincue qu'il s'agissait d'une façade et qu'au fond, il lui en voulait pour cet échec. Elle avait peur d'être quittée pour une femme meilleure, plus stimulante et plus méritante qui saurait lui donner la famille dont il rêvait.

La première régression de Liza nous amena en Europe de l'Est. Elle était une paysanne et Clint un soldat vêtu d'un uniforme rouge, chaussé de bottes noires. Ils s'aimaient et se dévouaient l'un pour l'autre, planifiant en secret de se marier dans le dos de son père, un homme cruel, strict et possessif à l'extrême. Mais au cours de cette même nuit où ils avaient prévu de s'enfuir, son père réalisa ce qui était en train de se passer et la traîna littéralement hors de la maison jusqu'à un lointain couvent, où elle passa le reste de sa courte vie, enfermée comme une prisonnière, amère et seule, sans jamais revoir Clint ou même savoir s'il avait appris les raisons de sa soudaine disparition.

Liza se retrouva ensuite dans une colonie récemment établie dans ce qui s'appelle aujourd'hui le Delaware, où elle et son mari (qui selon elle n'était pas Clint) étaient arrivés quelques semaines plus tôt. Bien que courageux, c'est à contrecœur qu'ils avaient laissé derrière eux leurs familles en Angleterre, en échange de la promesse d'une vie meilleure dans le Nouveau-Monde. Liza était enceinte de son premier enfant et ils étaient enthousiastes à l'idée de fonder ce qu'ils espéraient être une famille nombreuse. Mais alors qu'elle entrait dans son sixième mois de grossesse, son mari fut tué accidentellement sur le bateau de pèche à bord duquel il travaillait. En raison du stress et du chagrin qui suivirent la mort de son mari, Liza perdit son bébé. Cette jeune veuve sans enfant, se trouvant à ce qui semblait des millions de kilomètres de sa famille et de ses amis, mourut au cours de la même année, de ce qu'elle décrivit elle-même comme une peine d'amour.

Puis elle fit le récit d'une vie en Égypte. Liza était une compagne dévouée et la dame d'honneur d'une femme puissante qui appartenait, selon elle, à l'aristocratie égyptienne. Le frère de cette femme, un homme encore plus puissant, était le grand amour de sa vie, mais celui-ci avait déjà accepté de faire un mariage sans amour pour des raisons politiques. Ils avaient réussi à garder leur passion secrète pendant plusieurs mois jusqu'au jour où on les surprit ensemble. Liza fut immédiatement chassée par un petit groupe d'hommes – des hommes près du pouvoir selon elle – qui l'accusèrent de menacer ce mariage qu'ils jugeaient essentiel à l'avenir du pays. Lorsqu'on lui permit de revenir plusieurs mois plus tard, son amoureux était marié et au loin, et la puissante femme pour qui elle travaillait se montra froide et brutale envers elle, croyant qu'elle avait délibérément voulu la trahir. Traitée de paria et même de traître, elle passa le reste de ses jours seule.

Pas étonnant que les souvenirs cellulaires de Liza aient tourné autour de sa peur de l'abandon et de son désir de fonder une famille. Au moins à trois reprises, elle avait été injustement séparée de l'homme avec qui elle voulait passer sa vie, privée de réconfort qu'aurait pu lui apporter un enfant, et amenée à penser que l'amour menait inexorablement à la solitude et à un vide émotionnel abrutissant. C'est pourquoi lorsqu'elle tomba amoureuse de Clint, toutes les cellules de son corps lui envoyèrent le message que son esprit spirituel leur avait insufflé : prépare-toi à un dénouement malheureux, et si tu veux un enfant, agis rapidement et attends-toi à vivre le reste de ta vie toute seule.

Liza quitta mon bureau fascinée par l'expérience, mais pas tout à fait convaincue que les vies passées qu'elle avait pourtant si clairement entrevues n'étaient pas que le produit de son imagination. Son esprit conscient hésitait également à s'offrir le luxe de se sentir en sécurité avec Clint. Mais elle me promit que tous les soirs, pendant un mois, elle prierait pour que la douleur et les pensées négatives qu'elle avait ramenées de ses vies passées quittent sa mémoire cellulaire et son esprit spirituel pour se dissoudre dans la blanche lumière de l'Esprit Saint, afin qu'elle puisse enfin profiter de tout ce qu'elle avait à donner et à recevoir dans cette vie. Je lui répondis : « Ça ne me gêne pas si vous pensez que c'est l'idée la plus stupide que vous ayez jamais entendue, mais faites-moi plaisir et essayez. Si vous ne remarquez aucun changement dans votre vie au bout d'un mois, téléphonez-moi et dites-moi que je ne sais pas de quoi je parle. »

Mais six mois plus tard, c'est Clint qui me téléphona :

« Je ne sais pas ce que vous avez fait à ma femme, vous devriez le mettre en bouteille, me dit-il lorsque je décrochai le téléphone. Elle s'inventait toutes sortes d'excuses pour me téléphoner au travail trois ou quatre fois par jour, juste pour s'assurer que j'étais vraiment là, puis elle me cuisinait chaque fois que je quittais la maison pour savoir où j'allais et quand je reviendrais, et elle perdait les pédales si j'arrivais quelques minutes en retard. Franchement, elle ressemblait davantage à une directrice de prison qu'à une épouse, malgré tout ce que j'ai pu faire pour la convaincre que je n'allais pas disparaître. Mais elle a changé du tout au tout depuis qu'elle vous a rencontrée. Elle est plus détendue, plus confiante, plus heureuse, et mieux encore : elle semble finalement me faire confiance. Ces jours-ci, j'attends avec impatience le moment de rentrer à la maison, moi qui avais l'habitude de le redouter. C'est pourquoi je voulais vous dire à quel point nous apprécions ce que vous avez fait pour nous.

Je reçus un an plus tard un post-scriptum encore plus émouvant : une carte de Noël sur laquelle on pouvait voir la radieuse Liza, Clint et la petite fille qu'ils venaient d'adopter. En passant, ils ne l'ont pas appelée Sylvia.

CYNTHIA

• UN BESOIN D'ATTENTION AUTODESTRUCTEUR

Cynthia avait trente ans et m'avait été référée par un ami psychiatre. Je remarquai que son besoin d'attention était criant, avant même qu'elle n'entre dans mon bureau. À l'accueil, je l'entendis parler et rire deux fois plus fort que ce que l'on considère comme normal, et comme elle avait l'habitude de gesticuler frénétiquement en parlant, elle trouva le moyen de fracasser une lampe et de renverser du café, tout cela tandis qu'elle se présentait à mon personnel. Lorsque je sortis de mon bureau pour aller la chercher, je compris que sa robe trop courte, trop moulante et trop décolletée, sa coupe de cheveux provocante et son maquillage exagéré lançaient le même message que la voix tonitruante et les gestes frénétiques : « Regardez-moi ! »

Dès le début, elle essaya de me convaincre que je n'avais jamais rencontré de clientes plus heureuses qu'elle et qu'elle avait accepté de me rencontrer, non pas parce qu'elle avait un problème, mais parce qu'elle m'avait vue à la télévision et avait pensé que cela serait amusant. Et quant à ce soi-disant « besoin d'attention » dont se plaignait son psychiatre, ce n'était qu'une grossière exagération. Après tout, qui n'a pas besoin d'attention ? Et quel mal y a-t-il à cela, si cela la rend heureuse ? Bien sûr, bien des gens ne l'aimaient pas à cause de cela, mais on voyait bien qu'ils étaient jaloux.

Je n'avais pas besoin de mes dons médiumniques pour me rendre compte, après quelques minutes de ce monologue échevelé, que ses protestations étaient excessives et qu'elle essayait davantage de se convaincre elle-même qu'elle était une femme heureuse, insouciante et aimant la vie, plutôt que son interlocutrice. Une demi-heure plus tard, elle éclata en sanglots, sa voix devint calme et presque timide, tandis qu'elle me laissait voir derrière la façade, à quel point elle se sentait seule, triste et impuissante. Ce besoin d'attention qu'elle disait trouver normal lui avait coûté plusieurs emplois, car on l'accusait d'avoir un comportement perturbateur ou « inapproprié. » Cela l'avait également amenée à adopter une sexualité compulsive, à coucher avec les petits amis de ses propres amies, et du coup, à se faire inévitablement rejeter par les deux avant longtemps. Ses propres petits amis la fréquentaient le temps de l'exploiter sexuellement et financièrement, puis ils passaient à d'autres femmes qui savaient se faire respecter, contrairement à Cynthia qui ne se respectait pas elle-même. Elle passait trop de temps dans les bars, ce qui avait entraîné un sérieux problème d'alcoolisme, et c'est finalement ce problème qui l'avait menée en thérapie, même si elle était toujours convaincue que tout le reste de sa vie était en ordre. Mais au bout de huit mois, ils avaient dû reconnaître, elle et son psychiatre, qu'ils ne faisaient aucun progrès et que rien dans son enfance protégée, rassurante et remplie d'amour au sein d'une famille de la classe moyenne n'expliquait ce besoin d'attention incontrôlable, destructeur et de plus en plus terrifiant.

Cynthia se prêtait très bien à l'hypnose : elle était franche, sensible et articulée. Comme son problème était précis et urgent, je lui dis d'aller vers le point d'entrée. Elle se vit d'abord sous les traits d'un jeune garçon de dix-sept ans, mort brutalement sur le champ de bataille pendant la guerre de Sept

Ans. Puis elle se retrouva seule dans l'immensité de vertes collines ondulantes, près d'une imposante maison en pierre coiffée d'un toit en chaume. Comme au cours de la séance avec Alain que j'ai décrite plus tôt, je crus que Cynthia me décrivait ses premiers pas dans L'AU-DELÀ. Mais plus elle m'en parlait, plus j'étais convaincue que cet endroit n'était pas La Maison.

Il y avait de nombreux enfants dans et autour de la maison, surveillés par plusieurs femmes vêtues de longues robes noires. Cynthia les observait par une fenêtre avec le sentiment qu'elle devait flotter à quelques centimètres du sol pour y arriver. Elle souhaitait désespérément se joindre aux autres enfants et jouer avec eux, mais elle savait qu'elle ne le pouvait pas. Elle savait également que si elle pouvait voir et entendre ces gens, ils ne pouvaient par contre ni la voir ni l'entendre, comme si elle n'avait jamais existé. Plus encore, elle savait qu'elle était là depuis très longtemps, qu'elle était en quelque sorte prise au piège. C'est pourquoi elle désirait par-dessus tout s'enfuir de cet endroit, mettre un terme à l'isolement insupportable qu'elle ressentait devant cette fenêtre, seule, perdue et condamnée à être ce néant invisible et muet dont personne ne se préoccupe, ni ne remarque la présence.

En d'autres mots, les souvenirs cellulaires qui poussaient Cynthia à rechercher désespérément de l'attention venaient de cette horrible période d'impuissance qu'elle avait passée entre deux vies sous la forme d'un fantôme. Prise au piège entre la terre et L'AU-DELÀ, ne participant ni à l'un ni à l'autre, elle avait « hanté » malgré elle cet orphelinat catholique situé dans la campagne irlandaise. Je peux compter sur les doigts d'une seule main les clients – et ils sont des milliers et des milliers – qui revisitèrent au cours d'une régression leur horrible vie de fantôme, où ils avaient attendu d'être secourus par un habitant de La Maison ou libérés par un être humain. À leur façon, tous ces clients s'étaient efforcés au cours de leur vie à vaincre cette peur d'être marginalisés. Tout comme Cynthia, qui ne cherchait rien d'autre au fond, ils avaient voulu se faire remarquer, être acceptés et accueillis.

Comme je le disais plus tôt, l'esprit conscient peut se faire duper, mais l'esprit spirituel et la mémoire cellulaire vont uniquement réagir et répondre à ce qu'ils savent être la vérité. Or, il n'y avait pas l'ombre d'un doute dans l'esprit de Cynthia ; elle n'avait pas imaginé cette non-vie fantomatique durant sa régression. Elle s'en souvenait comme elle se souvenait de s'être habillée avant de venir à mon bureau le matin même, et comme une personne qui se remet d'une longue fièvre, elle se savait à présent libérée de cette douleur qui lui venait de sa mémoire cellulaire.

Huit mois plus tard, elle m'envoya une merveilleuse lettre de dix pages. Grâce à un programme en douze étapes et à sa détermination de donner un sens à sa vie, elle avait réussi à arrêter de boire. Mieux encore, elle n'avait plus le temps de passer ses nuits dans les bars, car elle s'était inscrite à l'université afin de devenir enseignante. « Je suppose que je veux avoir l'attention de ces enfants », me dit-elle. « Mais cette fois, je l'obtiendrai en les aidant et en leur prouvant qu'on peut faire toutes les erreurs inimaginables et quand même s'en sortir. » Elle avait cessé temporairement de sortir avec des hommes, voulant d'abord être sûre d'être en santé, afin d'attirer des gens intéressés à vivre une saine relation, et elle s'était amendée auprès de ses amis qu'elle avait trahis par le passé.

Finalement, elle avait inclus la photographie d'une charmante et fraîche jeune femme, une beauté naturelle, pour ne pas en dire plus, qui était sûre d'attirer toute l'attention qu'elle désirait en raison de la tranquillité d'esprit et de la confiance qu'elle projetait. J'aurais parié qu'il s'agissait de la jeune sœur de cette femme hyperactive que j'avais rencontrée dans mon bureau s'il n'y avait pas eu cette légende : « Avec tout mon amour et mes remerciements, Cynthia. »

RYAN

• FROIDEUR ENVERS UN CONJOINT
• SENTIMENT AMBIVALENT ENVERS LA VIE

À quarante-sept ans, Ryan était l'image vivante de la réussite pour un homme de la classe moyenne supérieure. Il possédait tout ce dont il avait rêvé et encore plus, ce qui ajoutait à son incompréhension devant ce sentiment de désintérêt pour la vie en général et pour son mariage en particulier. Pour expliquer ce mécontentement qui menaçait à présent des parties de son monde qu'il chérissait de tout son cœur, la seule explication qu'il put trouver était qu'il devait avoir du mal à passer le cap de la cinquantaine. « Je hais l'idée d'être un cliché culturel », me dit-il. « Mais je hais encore plus ce qui nous arrive, à moi et à ma femme. Je l'aime. Nous vivons ensemble depuis vingt-six ans pour l'amour du Ciel ! Je ne veux pas la perdre, mais elle a l'impression que je la repousse chaque fois qu'elle tente de m'approcher. Et le pire, c'est qu'elle a raison. Je vois bien que je la repousse. Je déteste cela et je m'en veux, mais l'instant d'après, je recommence. Je suppose qu'elle sait que je ne suis pas heureux, elle voudrait que je me confie, que je lui dise ce qui ne va pas afin qu'on puisse en parler tous les deux, mais je ne peux rien lui confier puisque je n'ai pas la moindre idée de ce qui m'arrive. Peut-être que le problème est qu'il n'y a pas de problème. Puisque je n'ai pas de raisons de me plaindre, c'est donc *moi* le problème. J'ai perdu ma flamme, ma curiosité, ma joie et mon envie de mordre dans la vie. J'ai l'impression d'être émotionnellement mort, et j'ai besoin d'aide pour me retrouver. »

Il appelait cela « une crise de la cinquantaine. » Pour ma part, j'appelle cela « la traversée du désert. » La plupart des gens que je connais, riches ou pauvres, mariés ou célibataires, bourreaux de travail ou sans emploi, célèbres ou anonymes, en santé ou atteints de maladies chroniques, ont traversé un jour ou l'autre cette période de vide émotionnel décrite par Ryan. Néanmoins, c'était tout à son honneur d'avoir trouvé l'énergie et le courage pour venir me voir, car lorsque cela m'est arrivé, c'est tout juste si j'avais la force de sortir de mon lit le matin. Ayant géré cette douloureuse situation au jour le jour, jusqu'à ce qu'elle arrive d'elle-même à son terme – comme cela semble se produire tôt ou tard pour la plupart d'entre nous – j'étais très intriguée de voir si une régression et une libération de la mémoire cellulaire pourraient accélérer le processus de guérison lorsque nous sommes confrontés à ce problème malheureusement très réel et courant.

Dans une première vie passée, Ryan était une femme, exerçant le métier de comptable dans le nord de l'Angleterre. Fille unique d'un couple qui s'était marié sans amour, sa vie avait débuté tragiquement et s'était terminée de même. Sa mère avait eu plusieurs attaques d'apoplexie durant l'accouchement et son père avait rapidement disparu, ne voulant pas être responsable d'un enfant non désiré et d'une femme malade qu'il avait déjà prise en grippe. Dès le début, sa mère lui avait clairement fait comprendre qu'elle ne l'avait pas désirée et qu'elle était la cause de ses attaques et du départ de son père. Elle accepta le blâme et passa le reste de sa vie à supporter et à prendre soin de cette mère impotente, cruelle et vindicative. Elle demeura célibataire, sans jamais songer à se faire des amis, à participer à des fêtes, à tomber en amour ou à ce monde rempli de promesses derrière les murs de son emploi et de cette petite maison sombre et misérable où elle rentrait tous les soirs. Elle réprima toutes les émotions qui menaçaient ce vide familier, comme si elle avait contracté une dette envers sa mère, dette qu'elle ne pourrait jamais rembourser. Finalement, toutes ces émotions réprimées donnèrent lieu au cancer de l'estomac qui devait l'emporter.

La seconde vie passée dont se souvint Ryan se déroulait dans le pays de Galles à la fin du dix-neuvième siècle. Cette fois, il était un homme, très grand et mince, rasé de près, au nez proéminent et avec des mains d'artiste, longues et gracieuses. Il travaillait comme maître ébéniste et fabricant de meubles et voyageait à travers tout le pays pour s'occuper de ses nombreux clients satisfaits. Il tomba amoureux au début de la quarantaine et maria une charmante boutiquière qui avait la moitié de son âge. Un an plus tard, elle lui donna un fils et il se crut le plus heureux et le plus chanceux des hommes. Mais son bonheur prit fin soudainement et tragiquement lorsque sa femme et son fils furent tués dans un accident de bateau. À quarante-huit ans, Ryan se retrouvait à nouveau seul, et même son pasteur, son meilleur et plus fidèle ami, ne put alléger sa peine. Il se plongea dans le travail, avec le même savoir-faire, mais la joie en moins, et lorsque la mort vint après son soixante-sixième anniversaire, il l'accueillit volontiers. « C'était plus simple, ce fut comme un soulagement », me dit-il. « J'étais déjà mort de toute façon. »

À présent, à l'âge de quarante-sept ans, même si Ryan aimait toujours sa femme, sa mémoire cellulaire lui disait de se préparer à la perdre et par conséquent, à dire au revoir à son bonheur. Sa vie dans le pays de Galles lui avait appris qu'il n'y a pas de qualité de vie possible après quarante-huit ans, et celle en Angleterre, que se vider de ses émotions était une façon efficace de se protéger contre les sentiments inutiles susceptibles de causer de la douleur. À cause de sa mémoire cellulaire, Ryan anticipait des pertes qu'il avait effectivement connues quelques centaines d'années plus tôt, et pour se protéger, prenait de la distance comme il avait appris à le faire au cours de ses vies précédentes. En se libérant de ses souvenirs cellulaires, il cessa une fois pour toutes de revivre ses existences passées et put enfin tirer le meilleur de sa vie présente.

Un mois après sa régression, Ryan me téléphona. Sa voix, qui était terne et monotone lorsque je l'avais rencontré, était devenue riche comme celle d'un baryton, curieuse et pleine de vie. Il m'appelait pour me dire qu'il partait avec sa femme, plus tard cette semaine-là, pour leur deuxième lune de miel à Maui, et mieux encore, que ce voyage l'enthousiasmait. Cinq ans plus tard, ils étaient toujours ensemble, florissants de santé et plus heureux que jamais. Et si j'applaudis ses efforts, comme j'applaudis les efforts de tous mes clients, c'est qu'il faut du courage pour faire face au passé et partir à la recherche d'une existence future plus riche et plus profonde.

BETSY

• AGORAPHOBIE (UNE PEUR EXTRÊME DES ESPACES OUVERTS ET DES LIEUX PUBLICS)

Betsy avait quarante-deux ans. Elle souffrait d'agoraphobie depuis plus de dix ans, et malgré les tranquillisants et un travail acharné avec trois thérapeutes différents, son problème s'aggravait. Cette maladie lui avait coûté son mariage et un emploi lucratif d'acheteur pour une chaîne de magasins à rayons, et elle allait bientôt lui coûter sa maison si elle ne trouvait pas rapidement une façon de s'en sortir.

Je lui demandai si elle se rappelait le moment où elle avait réalisé qu'elle avait un problème. Elle se le rappelait très clairement. Elle retournait au travail pour la première fois, après une fausse couche survenue au cours du deuxième mois de son unique grossesse, lorsqu'elle décida d'arrêter à la banque en passant. Mais alors qu'elle faisait la queue devant un guichet, elle fut tout à coup envahie par une vague de panique. Cette sensation était si étrange et violente qu'elle crut qu'elle allait s'évanouir. Partant de la nuque, une coulée de sueur froide se répandit dans son dos et bientôt sa blouse fut détrempée. Lorsqu'elle arriva au bout de la file d'attente, elle voulut s'avancer malgré ce brouillard vers un caissier, mais elle figea sur place, complètement désorientée. La fenêtre du guichet semblait à des milliers de kilomètres de distance. Les faibles voix qu'elle entendait autour d'elle semblaient lui parvenir du fond d'un puits. Elle tourna les talons, sortit en courant de la banque et revint chez elle sans même savoir comment elle y était parvenue. Elle ne se rappelait ni la profonde inquiétude de son mari, ni ses vains efforts pour qu'elle retourne au travail, ni sa patience lentement rongée par les années, tandis qu'elle devenait de plus en plus recluse et de moins en moins en mesure de contribuer à leur mariage, émotionnellement, financièrement et physiquement. Néanmoins, c'est elle qui insista pour divorcer – elle ne supportait plus le stress de voir dans ses yeux sa déception et sa patience à bout – et elle se sentit franchement soulagée lorsqu'il la quitta.

Plutôt que de s'engager dans une régression, le premier réflexe de Betsy fut de me demander ce qui était la cause de son agoraphobie. Comme plusieurs de mes clients, elle n'avait pas peur d'être hypnotisée ; elle avait peur de ne pas pouvoir être hypnotisée. Il est vrai que certaines personnes tombent sous hypnose plus facilement que d'autres, mais je n'ai jamais rencontré de clients qui ne le pouvaient ou ne le voulaient pas ou encore qui n'arrivaient pas à trouver leur chemin vers au moins une vie passée. J'aurais pu dire à Betsy ce qui était à l'origine de son problème, mais comme je l'ai dit plus tôt, l'impact est beaucoup plus important lorsque ce sont les clients qui découvrent d'eux-mêmes ce qu'il y a de signifiant dans leurs vies passées. Finalement, elle voulut bien « essayer » d'être hypnotisée, et dès qu'elle cessa d'essayer et qu'elle se détendit et se laissa aller, elle se révéla un excellent sujet. Lorsque j'ai vu qu'elle était prête à entreprendre son voyage dans le temps, je jugeai que sa situation était suffisamment urgente et grave pour lui suggérer de se rendre directement à ses points d'entrée.

Elle respira à fond, puis elle me raconta qu'elle était devant une fenêtre, vêtue d'une jolie robe qu'elle avait elle-même confectionnée. Elle avait dix-sept ans, vivait à Mexico, et pouvait voir, à sa réflexion dans le petit miroir ovale sur le mur d'adobe de sa chambre, qu'elle était séduisante avec sa lourde chevelure noire, sa bouche pulpeuse et son visage bronzé et parfait en forme de cœur. Mais elle arrêta sa description pour m'annoncer : « Quelqu'un vient d'entrer.

— Qui est-ce ?

— Mon père.

— Comment te sens-tu vis-à-vis ton père ?

— Il me terrifie. Il vient pour m'emmener.

— T'amener où, Betsy ? »

Elle eut le souffle coupé lorsqu'elle comprit ce qui se passait : « Pour me faire avorter. »

Elle était de plus en plus bouleversée. Ses mains se mirent à trembler légèrement. « Tout va bien », lui dis-je pour la rassurer. « Cela ne se produit pas présentement. Tu ne fais qu'observer et me décrire ce que tu vois. Il n'y a pas de raison d'avoir peur. De qui est ce bébé ?

— D'un ouvrier de mon père. Je l'aime. Mon père l'a appris et l'a battu, et il s'est enfui. Je déshonore ma famille en ayant un enfant hors des liens du mariage, alors on me punit en m'enlevant mon enfant. Mon père connaît un homme dans le village voisin qui sait s'occuper de ces choses. »

Je savais déjà comment allait se terminer cette histoire, mais comme je ne voulais pas influencer son expérience, je lui demandai simplement : « Est-ce sans danger ? »

Lentement, elle fit non de la tête. « Je suis morte là-bas. Je suis morte au bout de mon sang. » Et après avoir fait une pause, elle ajouta : « J'étais contente de partir. Ma mère et ma grand-mère m'attendaient. »

Quelques instants plus tard, après lui avoir suggéré de se concentrer sur les points d'entrée, elle se présenta sous les traits d'une femme japonaise vivant à Kyoto. Elle était dans la trentaine lorsqu'elle fit un mariage arrangé. Obéissante et désireuse de plaire à un degré presque pathologique, elle voua aussitôt sa vie à son mari. Le couple avait eu un enfant, un fils mort d'une pneumonie à l'âge de quatre ans. Accablé de chagrin, son mari l'accusa injustement d'être responsable de sa mort et prit ses distances, passant de plus en plus de temps à faire de longs voyages loin de chez lui. Ses parents ne furent d'aucun réconfort, honteux de leur fille qui ne savait pas rendre son mari heureux et le garder à la maison. Finalement, elle se laissa littéralement mourir de faim, mal-aimée et abandonnée, heureuse de quitter ce monde, six ans après la mort de son fils.

Il est donc compréhensible que dans cette vie, une fausse couche ait donné le signal à sa mémoire cellulaire de faire le lien entre la perte d'un enfant et un sentiment de honte, de rejet et d'isolement, mais aussi avec sa propre mort. Cet innocent arrêt à la banque, alors qu'elle se rendait au travail pour la première fois depuis sa fausse couche, déclencha des milliers de signaux d'alarme en elle, lui hurlant qu'elle ne pouvait continuer à vivre comme avant, que tous ceux qu'elle aimait allaient se retourner contre elle et la punir, et qu'elle ne trouverait de refuge que dans la mort. Pendant dix ans, elle avait contribué à ce processus d'isolement émotionnel, mais ce jour-là, dans mon bureau, elle comprit enfin pourquoi.

Au cours du week-end qui suivit notre rencontre, Betsy s'envola vers la côte Est afin de revoir son ex-mari qu'elle n'avait pas vu depuis des années. N'étant pas certaine qu'il croirait à cette histoire de régression, elle espérait qu'il comprendrait les raisons qui l'avaient amenée à le repousser, même si elles pouvaient sembler ridicules. C'était mieux que pas de raison du tout. Même s'il était sceptique, il ne pouvait pas nier le fait proprement miraculeux qu'elle ait osé prendre l'avion et sortir en public, ainsi que le tendre et chaleureux bonheur qu'elle ressentait à se trouver en sa présence. Six mois plus tard, elle avait repris son emploi d'acheteur de vêtements d'époque pour une poignée de magasins d'antiquités triés sur le volet, elle s'était inscrite à des cours de design de mode et de graphisme assisté par ordinateur, tandis qu'elle et son ex-mari prenaient l'avion à tour de rôle, deux fois par mois, pour se visiter et ainsi hâter une possible réconciliation. Lorsque je lui fis remarquer qu'elle ne ressemblait pas à une femme qui avait l'intention de mourir jeune et abandonnée, elle se mit à rire et résuma bien la situation en disant : « Merci quand même, Sylvia, mais j'ai déjà donné. »

WENDY

• PEUR DE L'EAU

Wendy, trente ans et célibataire, avait grandi sur une île près de la côte de l'État de Washington. La natation, le canotage et le ski aquatique ayant toujours fait partie de sa vie, lorsqu'elle reçut son diplôme universitaire et débuta sa carrière en marketing à St. Paul, dans le Minnesota, elle loua une petite maison près d'un magnifique lac, même si elle devait pour cela faire un trajet d'une heure pour se rendre au travail.

Jusqu'à l'âge de vingt-neuf ans, sa vie fut heureuse et sans soubresauts ou comme elle le disait si bien : « ordinaire. » Mais une nuit, après s'être endormie comme d'habitude, elle se réveilla soudainement quelques heures plus tard prise de panique et ne supportant plus le bruit – autrefois apaisant – du clapotis de l'eau contre le quai qui se trouvait sous ses fenêtres. Après avoir fait ses valises à toute vitesse, elle s'était enfuie en ville, avait loué une chambre d'hôtel et n'avait plus jamais passé la nuit dans la petite maison près du lac. D'après sa description, elle avait eu l'impression que l'eau, qui avait toujours été pour elle comme une vieille amie, avait soudain été démasquée pour laisser voir ce qu'elle était vraiment : un monstre séduisant, mais mortel, qui n'hésiterait pas à la détruire si jamais elle retournait près d'une étendue d'eau. Cette peur lui était venue de façon si soudaine et violente et contredisait tellement sa nature logique et rationnelle qu'elle crut avoir souffert d'un effondrement psychotique. Heureusement, son médecin de famille et moi étions de vieux collègues. N'eut été de son entière confiance en son médecin, je ne crois pas me tromper en disant qu'elle n'aurait jamais accepté de s'asseoir avec un médium afin de régresser dans ses vies antérieures.

Vous avez déjà probablement deviné que la régression de Wendy révéla qu'elle s'était noyée dans une vie passée à l'âge de vingt-neuf ans. C'est tout à fait exact. En 1836, le ferry à bord duquel elle était montée pour aller rejoindre son fiancé de l'autre côté du Mississippi chavira. Le poids de sa lourde robe l'entraîna sous l'eau et l'empêcha de rejoindre la rive. Si vous avez également deviné que la découverte de ces souvenirs cellulaires pansa ses blessures et lui permit de renouer avec son amour de l'eau, vous avez encore une fois raison.

Mais l'histoire de Wendy va me permettre d'introduire un autre aspect essentiel de la mémoire cellulaire : très souvent, en allant à la racine d'un problème, on découvre la solution d'un autre problème et on guérit ainsi d'un seul coup deux ou plusieurs blessures de l'esprit.

C'est ce qui arriva à Wendy. La régression et la clarté cristalline de l'expérience l'ayant beaucoup touchée, après avoir prié la blanche lumière de l'Esprit Saint de la libérer de toute la douleur et de toute la négativité qui lui venaient de ses vies passées, nous en avons discuté toutes les deux. Elle réalisa alors qu'elle avait probablement obtenu la réponse à une autre question qui la hantait depuis des années. À deux reprises dans sa vie, elle était tombée amoureuse d'un homme d'un grand soutien, en santé, séduisant et ayant réussi dans les affaires. Ces deux relations avaient été heureuses et avaient progressé naturellement, jusqu'à ce qu'on lui propose le mariage. Chaque fois, elle avait refusé leur demande, donnant de vagues excuses du genre : « Je ne suis pas prête » ou « Bien sûr que je t'aime, mais je ne suis pas certaine d'être amoureuse de toi » ou encore

« J'en suis à un point dans ma vie où je dois penser à ma carrière. » Mais en fait, pour des raisons qu'elle ne pouvait comprendre, la simple idée de se marier, même avec un homme aisé, l'effrayait et la poussait à s'enfuir. Elle avait donc abruptement mis fin à ses relations et n'avait jamais revu ces deux hommes. Pour s'expliquer sa réaction, elle se disait qu'elle avait eu « l'intuition » qu'elle allait commettre une erreur. Après sa régression, elle se demanda si cette intuition n'était pas plutôt sa mémoire cellulaire qui lui rappelait que ce genre d'engagement se terminait dans la mort. Mais est-ce que sa mémoire cellulaire pouvait réellement être responsable de cette peur de l'engagement qui l'avait poursuivie toute sa vie ?

Quatre ans plus tard, Wendy était heureuse en ménage et apprenait à nager à ses jumeaux de trois ans. Je pense que cela veut tout dire.

NELL

• LA FIN D'UNE LIAISON AMOUREUSE

Nous sommes tous passés par là. Nous avons tous souffert, après une séparation, d'être rejetés par une personne dont nous étions encore amoureux. C'est affreux, c'est débilitant, et pour s'en remettre, il faut du temps et de la volonté.

À quarante ans, Nell était intelligente, séduisante et réfléchie. Elle vivait avec George depuis cinq ans, lorsqu'il la quitta pour une femme de vingt-cinq ans, qui attendait un enfant de lui. Une année s'écoula, et malgré l'aide offerte par sa famille, son pasteur, les antidépresseurs, et huit mois de thérapie, la blessure était toujours aussi fraîche et paralysante qu'au jour de son départ. Elle ne pouvait plus rien avaler, ne pouvait ni dormir, ni travailler. Elle était devenue dangereusement maigre et anémique, ses jolis yeux bruns étaient creux et vides, et elle dut subir l'humiliation d'emprunter de l'argent à son père afin de payer son loyer. Elle était effrayée et troublée par ce qui lui arrivait. Elle avait survécu à de nombreuses relations auparavant et même à un impétueux mariage. Autrement dit, elle avait quitté des hommes et des hommes l'avaient quittée. Mais elle avait beau se répéter qu'elle avait toujours surmonté sa douleur par le passé et qu'elle réussirait à le faire à nouveau, elle savait que cette fois, la chose avait trop duré : elle avait de gros ennuis, et quoiqu'elle fasse, elle n'arrivait pas à comprendre pourquoi.

Je lui ai dit de prendre son temps et de retourner vers tous les points d'entrée qu'elle pourrait trouver. Quelques minutes plus tard, Nell était en Allemagne. Elle avait neuf ans et vivait avec son frère de onze ans et une tante âgée dans une maison en bois jaune. Depuis la mort de leurs parents, elle et son frère étaient devenus les meilleurs amis du monde. Il l'aimait, la protégeait, la réconfortait la nuit lorsque des cauchemars lui faisaient pousser des cris, il lui apprenait à lire, faisait du feu dans la cheminée lorsqu'elle avait froid, et lui préparait de bons repas chauds lorsque leur tante était trop malade ou fatiguée. Mais plus que tout, il lui avait promis qu'il s'occuperait d'elle toute sa vie, et elle l'avait cru. Une fois adultes et leur tante décédée, son frère partit se battre à la guerre. Elle demeura dans la maison jaune, prit un travail de couturière, et attendit son retour. Mais un jour, alors qu'elle était sans nouvelles de lui depuis des années, une femme qu'elle ne connaissait pas frappa à sa porte. Elle se présenta comme étant la femme du frère de Nell et lui apprit que son frère était mort. Il avait survécu à la guerre, mais était mort en tombant de cheval deux années plus tard. La femme accepta l'invitation de Nell et passa la nuit chez elle, mais le lendemain, en se réveillant, Nell découvrit que la femme avait disparu. Elle ne devait jamais la revoir. Dès lors, elle fut inconsolable, non seulement d'avoir appris la mort de son frère bien-aimé, mais aussi de savoir qu'après son service militaire, il n'était pas rentré à la maison et ne l'avait même pas contactée. Son chagrin et le choc d'avoir été trahie lui furent insupportables, et elle mourut d'une défaillance cardiaque – le cœur brisé – à l'âge de quarante-quatre ans.

Je voyage rarement dans le temps avec mes clients, mais cette fois-là, j'étais aux côtés de Nell et j'ai pu voir cette femme inconnue qui était venue la rencontrer. Si vous m'avez déjà vue en plein travail, vous savez que je ne réserve jamais de surprises à mes clients, et que je briserais mon contrat avec Dieu si je leur disais ce qu'ils souhaitent entendre quand je sais que ce n'est pas la vérité. Donc, dans le cas de Nell, lorsque je l'interrompis pour lui apprendre ce qui venait réellement de se passer, je ne cherchais qu'à la réconforter. En deux mots, cette visiteuse était dérangée mentalement, menteuse et n'avait jamais été la femme du frère de Nell. Elle était tombée éperdument amoureuse de lui alors qu'il était encore dans l'armée, puis l'avait tué lorsqu'il l'avait rejetée. Elle n'avait pu résister à la tentation de retrouver Nell, sans doute poussée par une curiosité morbide, mais elle avait dû s'enfuir avant que Nell ne découvre qu'elle était en fait un imposteur.

Comme je l'ai dit à plusieurs reprises, et cela vaut la peine que je le répète encore une fois, si on peut tromper l'esprit conscient, l'esprit spirituel reconnaît et réagit toujours instantanément à la vérité. Nell savait que cette tragédie venue d'une vie passée était bien réelle, que ses souvenirs cellulaires vieux de deux siècles et la douleur d'avoir perdu un homme qui était à la fois son frère, son meilleur ami et sa seule famille, avaient confirmé son idée fausse voulant qu'il l'ait abandonnée et trahie, et donc, qu'il n'avait pu l'aimer.

Je n'ai jamais rien trouvé de mieux que les mots « ne voyez-vous pas ? » pour aider mes clients à établir un pont entre leurs traumatismes du passé et leur situation présente. Je les utilisai donc encore une fois. « Ne voyez-vous pas », lui dis-je, « que ce chagrin irrésolu venant d'un autre temps est venu s'ajouter à la douleur de cette séparation que vous avez vécue l'an passé ? Ces deux situations impliquent un homme que vous avez aimé, avec lequel vous avez vécu, et à qui vous avez fait confiance. Dans les deux cas, une femme s'est interposée, et dans les deux cas, il fut question, d'une façon ou d'une autre, de mensonge et de trahison. Dans cette vie, George vous a fait exactement ce que vous pensiez que votre frère vous avait fait dans une autre vie. À présent que vous connaissez la vérité au sujet de votre vie passée, le processus de guérison peut enfin débuter, car vous savez à présent que votre frère en Allemagne méritait tout votre amour et toute votre confiance, et que George ne lui arrive pas à la cheville. »

Nell n'était pas tout à fait convaincue qu'elle s'en remettrait aussi facilement, mais elle me promit qu'au cours du prochain mois, elle réciterait une prière au début et à la fin de chaque journée afin que Dieu la libère de la douleur, du chagrin, de la trahison et de toute négativité par la blanche lumière de l'Esprit Saint. Je sus qu'elle avait entrepris sa réhabilitation du bon pied lorsque je reçus le lendemain matin un message de Nell me disant qu'elle était retournée à la maison afin « d'exorciser » son appartement de toutes les photographies de George, de toutes les notes et les lettres qu'il lui avait écrites, ainsi que d'un « horrible » bijou (c'est elle qui le dit, pas moi) qu'il avait osé lui donner après en avoir donné un semblable à sa maîtresse, comme elle devait l'apprendre plus tard. Six semaines s'étaient écoulées lorsque je reçus d'elle une charmante lettre d'adieu : elle avait accepté d'être transférée dans un autre État, transfert qu'elle avait déjà refusé deux fois au cas où George aurait changé d'idée et lui aurait demandé de revenir. Mais elle ne s'en souciait plus. Elle était impatiente de débuter une nouvelle vie, et personne n'aurait pu la convaincre que cette nouvelle vie aurait pu être possible si elle n'avait d'abord fait la paix avec cette vie passée dont elle ignorait même l'existence.

SHELDON

• UN SENS DISPROPORTIONNÉ DE LA RESPONSABILITÉ
• UN BESOIN IRRATIONNEL QUE TOUT SOIT EN ORDRE
• UNE PEUR DE LA MORT IRRÉPRESSIBLE

Certains clients ont su mieux que d'autres toucher mon cœur et Sheldon est l'un de ceux-là. Ce designer d'intérieur talentueux était un homme doux et généreux de ses émotions, spirituel et chose rare, d'une grande innocence, aussi choqué par l'injustice, la méchanceté et la malhonnêteté au milieu de la quarantaine qu'à l'âge de quatre ans, malgré une carrière de dix-huit années qui l'avait amené à être exposé à tout cela et même pire. Si une personne qu'il aimait n'allait pas bien, physiquement ou émotionnellement, il considérait qu'il était de son devoir de rétablir la situation. Il travaillait dur, il aimait passionnément et activement et, ce qui le rendait par-dessus tout cher à mes yeux, il adorait les animaux, dont il préférait habituellement la compagnie à celle des hommes.

Le besoin obsessionnel de Sheldon de faire régner la justice et l'équité dans un monde où les choses ne seront jamais justes et équitables, peu importe les efforts que nous déployons, laissa des traces significatives qui l'amenèrent à venir me voir. Premièrement, même s'il était de nature plutôt joyeuse et optimiste, il devenait de plus en plus difficile pour lui de jouir de la vie dans un monde où les mots « à quoi cela va-t-il servir ? » revenaient un peu trop souvent. Deuxièmement, il ressentait des douleurs dans la poitrine, mais aucun médecin n'avait pu en retracer la cause, et depuis son quarantième anniversaire, il était de plus en plus convaincu qu'il allait mourir d'une crise cardiaque. Finalement, au fil des ans, il s'était lentement, mais sûrement laissé prendre au piège des drogues. Aussi lentement et sûrement, il entreprit un programme en douze étapes qui l'aida beaucoup, mais il avait tout le temps peur de faire une rechute et il n'y avait pas l'ombre d'un doute dans son esprit qu'il risquait constamment de succomber aux charmes des quelques heures d'irresponsabilité que ces soi-disant drogues « douces » pouvaient lui offrir. (Mais qui a inventé cette expression stupide ? Va-t-on également parler de surdose « douce », d'isolement « doux » et de suicide « doux » ?)

En d'autres mots, il se passait beaucoup de choses dans la vie de Sheldon, mais il me les révéla petit à petit. En fait, ce qui l'avait vraiment poussé à venir me voir était la « conviction » que ces douleurs dans la poitrine annonçaient une crise cardiaque fatale, quoique aient pu en penser ses médecins. Mais comme il arrive souvent à mes clients durant une régression, ces problèmes qui le tracassaient refirent surface et demandèrent à être traités et résolus.

La première vie dont Sheldon me fit la description se déroulait en Europe de l'Est. Il était tailleur et travaillait dans une petite boutique près de la modeste maison qu'il avait acquise au prix d'un dur labeur afin de loger sa femme et ses deux enfants. Le peu qu'ils possédaient, il l'avait fièrement gagné grâce à ses mains d'artiste et à son savoir-faire, et cette vie tranquille, routinière et prévisible lui apportait un grand réconfort. Une nuit, alors qu'il rentrait chez lui après avoir fermé la boutique à clé, un voleur caché dans l'ombre lui tira un coup de feu en pleine poitrine et lui vola sa montre de poche et le peu d'argent qu'il avait sur lui. Mais il ne mourut pas l'âme en paix. Il resta au contraire étendu dans le noir et mourut au bout de son sang, se demandant si ces années de travail acharné, cette vie qu'il avait voulue simple et paisible, et son dévouement pour le bien-être de sa femme et de ses enfants pouvaient se terminer sur un acte aussi soudain, violent, aveugle et inutile. Comment avait-il pu faire preuve d'autant d'insouciance, n'avait-il pas vu le danger venir pour se faire prendre ainsi par surprise au point de ne pouvoir se défendre ? Comment avait-il pu se montrer aussi imprudent alors qu'il pouvait emprunter des rues mieux éclairées et ainsi éviter que sa famille se retrouve sans personne pour s'occuper d'elle ? Les maigres économies qu'il avait mises de côté n'allaient pas durer un mois. Pourquoi n'avait-il pas travaillé plus fort, puisqu'il savait qu'ils n'avaient rien d'autre ? Puis cet homme bon, modeste et responsable poussa un dernier soupir, seul, se haïssant sans raison pour une vie dont il aurait dû être fier.

Il était donc mort à quarante-trois ans d'une blessure à la poitrine, due à des circonstances hors de son contrôle. À présent, Sheldon ressentait des douleurs dans la poitrine, croyait qu'il allait mourir à l'âge de quarante ans et avait un besoin obsessionnel de s'assurer que tout était en ordre et sous contrôle autour de lui, tout cela à cause des souvenirs cellulaires qu'il portait en lui sans même le savoir. Pendant notre rencontre, il fit brièvement l'expérience de deux autres vies passées : l'une en Afrique et l'autre en Mongolie. À deux reprises, il avait été le seul soutien de ses enfants ou de sa famille, en plus d'être responsable d'un grand nombre d'animaux au cours de sa vie en Mongolie. Au cours de l'une d'elles, il était mort d'un coup de lance à la poitrine à l'âge de trente-neuf ans, et dans l'autre, d'une crise cardiaque à l'âge de quarante-quatre ans.

Je me dois d'aider mes clients à tirer tout le profit possible de leur séance de voyance ou de régression, mais l'utilité de nos rencontres dépend de ce qu'ils en font une fois qu'ils ont quitté mon bureau. Je savais que Sheldon était sincère et avait un sens de la responsabilité suffisant pour reconnaître les effets à long terme de sa régression. Et il ne m'a pas déçue. Quatre mois plus tard, nous étions invités par « hasard » (comme si une telle chose existait) à la même soirée de réception. Nous nous esquivâmes afin de passer un moment en tête-à-tête, car je voulais savoir comment les choses avaient tourné pour lui, et surtout, s'il croyait que l'exploration de ses vies passées et de sa mémoire cellulaire avait fait une différence dans sa vie. Avec ma douceur habituelle, je l'exhortai à parler franchement et à ne pas hésiter à me le dire s'il n'avait remarqué aucun changement positif. Je crois même lui avoir dit : « Si vous mentez par politesse, je vous tue. »

Après notre séance, il avait d'abord remarqué qu'il ne ressentait plus de tiraillements dans la poitrine. Et s'il lui arrivait de repenser à ses douleurs, il les écartait aussitôt en se disant : « Ce n'est que ma mémoire cellulaire et rien d'autre. » Je lui demandai si la disparition des douleurs avait diminué sa peur de la mort. Il me regarda d'un air étonné : « J'avais peur de la mort, n'est-ce pas ? J'avais complètement oublié. Je ne me rappelle même pas la dernière fois où j'ai *pensé* à la mort. » Nous avons bien ri et nous nous sommes mis d'accord pour dire que la réponse était oui. Avoir ainsi oublié qu'il avait peur de mourir est certainement le signe que sa peur de la mort avait diminué !

Puis il me confia quelque chose d'extraordinairement gratifiant : en visitant ses vies passées, il avait déterré toutes sortes de problèmes personnels, comme par exemple, sa peur d'ouvrir la porte d'un placard où il cachait les choses dont il ne voulait pas s'occuper. Or, depuis notre rencontre, plutôt que de refermer violemment cette porte en fuyant dans les drogues, il avait trouvé le courage et la détermination d'y mettre de l'ordre. « Je suis enfin heureux d'être qui je suis », me dit-il. Et pour vraiment tirer profit du travail que nous avions accompli tous les deux, il avait décidé de participer plus activement à son programme en douze étapes et ce faisant, il s'était aperçu que sa peur d'une rechute avait complètement disparu. Il avait également trouvé un excellent thérapeute qui lui permettait sur une base hebdomadaire de travailler sur la personne qu'il était et sur celle qu'il voulait devenir, au lieu d'être écrasé sous le poids de celle qu'il avait été. Son besoin obsessionnel de s'assurer que tout était en ordre et sous contrôle avait également disparu, tout comme l'impression que si quelque chose n'allait pas, c'était en quelque sorte de sa faute et qu'il devait remédier à la situation. Il fut également surpris de découvrir à la suite de sa thérapie, qu'il faisait un cauchemar récurrent, d'une présence menaçante dans sa chambre, prête à bondir sur lui pendant son sommeil. Dans son rêve, il sautait hors du lit et se mettait à courir, mais la présence le pourchassait. Cette présence, bien entendu, était l'un de ses anciens moi, venu remettre en question son impression de sûreté et de sécurité. Mais depuis sa régression, il n'avait plus jamais refait de cauchemar.

« Franchement, je ne suis plus la même personne que vous avez rencontrée il y a quatre mois », me dit-il. « Je me sens revigoré, calme et en santé, désintoxiqué et sobre. Je peux difficilement dire si cela tient à ma régression, à mon programme en douze étapes ou à ma thérapie. Je sais par contre qu'en régressant dans mes vies passées et en me libérant de mes souvenirs cellulaires, j'ai pu trouver la force de rester sobre. J'ai également appris à m'aimer, ce qui m'a permis de trouver un thérapeute qui pourra à son tour m'aider à me sentir encore mieux. Alors non, je ne mens pas par politesse lorsque je vous dis que vous avez changé ma vie. »

Non, Sheldon, c'est vous qui avez changé votre vie. J'ai simplement eu la chance d'en faire partie.

SARAH

• DÉPRESSION
• MAUX DE TÊTE
• BOULIMIE

Sarah, à quarante-trois ans, était prisonnière, comme bon nombre de mes clients, d'un cercle vicieux : elle était boulimique parce qu'elle était déprimée et elle était déprimée parce qu'elle était boulimique. Depuis qu'elle s'était engagée sur cette voie sans issue à l'âge de vingt-deux ans, elle avait essayé toutes les diètes, consulté des professionnels de la santé, s'était présentée au gymnase religieusement, et avait passé tous les tests sanguins afin de s'assurer que son problème de poids n'était pas hormonal, glandulaire, métabolique ou génétique. Tous ses médecins étaient d'accord pour dire que son obésité représentait un danger pour sa santé, ce qui n'était pas sans l'effrayer, mais elle se sentait impuissante et désabusée face à toutes ces contradictions : « Ce n'est pas une question de calories, mais de matières grasses » ou « Il ne faut pas se fier au contenu en matières grasses, il faut plutôt compter les calories. » Finalement, elle cessa de suivre leurs conseils. Elle en avait plus qu'assez de leurs fausses promesses, elle était fatiguée de voir ses efforts inévitablement récompensés par un nouvel échec, fatiguée de voir la déception dans les yeux des personnes qui la rencontraient pour la première fois, fatiguée de vivre dans un corps qu'elle détestait, fatiguée de sa dépression et d'avoir tout le temps mal à la tête, et par-dessus tout, était fatiguée de ne pas comprendre pourquoi cela lui arrivait à elle.

Le fait que dans les autres domaines de sa vie, Sarah était disciplinée, tatillonne quant aux apparences et accomplie sur le plan professionnel, ne faisait qu'ajouter à son trouble. Elle avait obtenu son diplôme universitaire avec mention, sa petite maison et ses vêtements étaient toujours impeccables, et on considérait qu'elle était une infirmière douée, infatigable et de grande valeur. L'ironie de sa situation, qu'elle puisse ainsi prendre un soin jaloux de parfaits étrangers alors qu'elle était incapable de régler ses propres problèmes, ne lui échappait pas et elle s'endormait plus souvent qu'à son tour en pleurant. C'est après une nuit particulièrement larmoyante qu'elle entra dans mon bureau, se laissa tomber sur le sofa et m'annonça : « Je préfère vous avertir, je me suis déjà fait hypnotiser dans l'espoir de perdre du poids, et cela n'a pas fonctionné. Alors si vous prévoyez me faire une suggestion post hypnotique pour me convaincre à l'avenir que la laitue goûte la tarte aux pacanes, vous pouvez économiser votre salive. »

J'adore les médecins et les hypnothérapeutes, mais je déteste les charlatans. J'ai rencontré de trop nombreux clients qui ont été abusés par des gens de cette sorte ; ils peuvent causer des dommages atroces. J'allai m'asseoir près d'elle et mis mes bras autour de ses épaules. « Sarah, si vous ne devez retenir qu'une seule chose aujourd'hui, écoutez attentivement ce que je m'apprête à vous dire et soyez attentive, car je vous le jure, c'est la pure vérité, d'accord ?

— D'accord », répondit-elle, encore hésitante. « De quoi s'agit-il ?

— De la laitue qui goûte la tarte aux pacanes, cela n'existe pas. Alors, on commence ? »

Elle me sourit et se détendit. Je retournai m'asseoir à ma place près du sofa et commençai la méditation qui devait apaiser Sarah. Mais elle m'interrompit à deux reprises, prétextant qu'elle devait se rendre aux cabinets. La première fois, je l'attendis plusieurs minutes. La seconde fois, je lui dis de rester où elle était et de ne pas s'en faire, si elle devait s'échapper sur mon sofa, je le ferais nettoyer plus tard. Mais elle continuait à retarder l'expérience, craignant une nouvelle déception. Après tout ce qu'elle avait vécu, je ne lui en voulais pas le moins du monde.

Avant longtemps, Sarah se retrouva en Inde, au début du seizième siècle. Danseuse louangée pour sa grâce et sa beauté, elle portait un costume rouge et jaune en soie qui enveloppait comme une douce caresse ses longues jambes d'un brun doré tandis qu'elle tournoyait librement dans une pièce remplie d'hommes à l'air aisé. Ils la désiraient tous, mais personne ne la posséderait jamais. Son cœur appartenait à un homme beaucoup plus âgé, peu loquace et ne souriant que rarement, qui traînait derrière lui des secrets et des blessures dont il ne voulait pas parler, mais qui le préoccupaient. Il l'aimait et lui ramenait des cadeaux de ses longs voyages qui pouvaient durer des mois, si bien que depuis qu'elle l'avait rencontré, alors qu'elle n'avait que vingt ans, elle n'avait plus regardé ou même pensé à un autre homme. Son vœu le plus cher était de se marier avec lui, mais il n'en fit jamais la demande, ne lui offrit jamais de s'engager, et de son côté, elle n'aurait jamais osé faire une telle demande de peur de se voir abandonnée. Alors elle se résigna à l'aimer en silence, à se montrer obéissante, chérissant les nuits qu'ils passaient ensemble, heureuse de sentir son regard posé sur elle lorsqu'il se tenait dans le fond d'une pièce remplie d'admirateurs fortunés et qu'il la regardait fièrement danser. Elle supportait sans se plaindre le poids de son rejet, mais une nuit, alors qu'elle avait trente-six ans, elle rencontra sous la pluie une vieille femme qu'elle n'avait jamais vue. Sans même prononcer une parole, la femme sortit un pistolet d'un repli de sa robe et lui tira une balle dans la tête, la tuant sur le coup.

« Qui était-elle ? » demandai-je.

« Je ne sais pas », répondit-elle. « Mais je crois qu'il était impliqué. »

Je l'amenai à travers sa mort, le long du tunnel et jusque dans l'AU-DELÀ, là où nous comprenons tout et obtenons toutes les réponses à nos questions. Je lui demandai à nouveau : « Qui était cette femme qui vous a assassinée ?

— Mon amant était un assassin », me répondit-elle, calmement. « Il avait tué son mari, et elle m'a tuée pour se venger. »

Dans cette vie-là, elle avait rencontré son amoureux à vingt ans, elle ne s'était jamais mariée et elle avait reçu une balle dans la tête à cause de lui. Dans cette vie-ci, elle avait commencé à prendre du poids au début de la vingtaine, puis elle avait souffert de dépression et de maux de tête. Pas besoin d'être un ingénieur de la NASA ou un médium pour faire le lien entre les deux.

Comme si une digue venait de céder, les autres vies passées de Sarah se manifestèrent soudainement. Elle avait vécu en Belgique et prit beaucoup de poids après avoir donné naissance à douze enfants. Elle était l'épouse d'un homme cruel qui devait un jour la battre à mort. Puis elle se retrouva à New York, maîtresse d'un gangster qu'elle avait quitté pour vivre une aventure avec un autre homme. Elle avait dû passer le reste de sa vie à se cacher de ce gangster, craignant son inévitable vengeance. Puis elle se revit enfant en Italie, vivant dans la rue avec sa mère, pauvre et affamée. Les autres enfants de son village lui lançaient des pierres, car elle était une enfant illégitime. Elle avait aussi vécu en Allemagne, épouse d'un médecin désireux de fonder une famille qui lui fit prendre toutes sortes de médicaments, d'injections et de sérums qui devaient provoquer un déséquilibre hormonal et glandulaire. Elle devint obèse et finalement mourut sans jamais avoir eu d'enfant.

« Ne voyez-vous pas ? Vous utilisez votre poids pour vous punir d'avoir été rejetée, désapprouvée et continuellement en danger. Vous avez appris à associer la mort à l'amour, aux relations personnelles et au fait de se montrer vulnérable. » Je lui fis aussi remarquer que le fait d'être belle, mariée et mère de famille n'avait pu lui apporter la sécurité qu'elle recherchait, et que même sa mère en Italie n'avait pu la protéger des coups, de la pauvreté et de la faim. Même avec la meilleure volonté du monde, Sarah n'aurait jamais pu venir à bout de ses souvenirs cellulaires lui disant qu'elle devait s'isoler et éviter de vivre une relation amoureuse si elle voulait survivre. Ayant déjà été obèse dans ses vies passées, c'était un moyen commode, efficace et familier de créer cette distance, voire cette armure, qui devait la protéger. En devenant boulimique, elle s'assurait également qu'elle ne mourrait plus jamais de faim.

Le changement qui s'opéra chez Sarah ce jour-là fut stupéfiant. Cette femme qui était entrée dans mon bureau en colère et sur la défensive en était ressortie douce, charmante et sereine. C'est pourquoi lorsqu'elle m'assura qu'elle prierait chaque jour pour être libérée de ses souvenirs cellulaires négatifs, je sus que je pouvais lui faire confiance.

J'ai encore la photographie qu'elle m'envoya l'année suivante, où on la voit radieuse et triomphante à la fin d'une marche contre le SIDA. La légende se lit comme suit : « 36 kilos en moins et j'adore ça ! »

LEEANNE

• PEUR DU FEU

L'une des choses les plus fascinantes au sujet des régressions et du fonctionnement de la mémoire cellulaire est le nombre de questions inattendues et insoupçonnées pour lesquelles nous obtenons des réponses lorsque nous permettons aux vies passées de refaire surface. LeeAnne, une architecte de vingt-huit ans, en est un parfait exemple. Elle avait assisté à plusieurs de mes conférences et s'intéressait beaucoup à ses vies passées, mais elle espérait également, grâce à une régression, se débarrasser de sa peur irrationnelle du feu. Elle reconnaissait elle-même que sa peur était grandement exagérée. Les images d'incendies la faisaient pleurer et lui donnaient des cauchemars. Elle était incapable de demeurer dans une pièce s'il y avait du feu dans la cheminée et l'odeur du bois brûlé la rendait malade. Elle ne pouvait se résoudre à utiliser des allumettes et elle avait des sueurs froides lorsqu'une personne près d'elle en allumait une. En fait, il lui fallait tout son courage et son sang-froid pour s'asseoir dans un restaurant ou chez des amis s'il y avait des chandelles sur la table. Il en fallait de peu qu'elle se précipite sur les chandelles pour les éteindre.

« Rien dans cette vie n'a pu provoquer cela », me dit-elle. « J'en ai parlé à mes parents et aux membres de ma famille, et apparemment, même lorsque j'étais bébé, je me mettais à pousser des cris hystériques chaque fois que mon père sortait son briquet. » Elle fit une pause et respira à fond avant de poursuivre. « Si je vous confie quelque chose que je n'ai jamais osé confier à personne, vous ne vous moquerez pas de moi, n'est-ce pas ?

— Vous savez que je suis mal placée pour rire des autres ?

— Je sais que cela semble ridicule, mais cette phobie reliée à l'odeur du bois qui brûle et ma fascination pour elle lorsque j'étais enfant...

— Votre fascination pour qui ? »

Elle baissa les yeux, trop embarrassée pour répondre :

« Je me demande si je n'ai pas été Jeanne d'Arc dans une autre vie... »

Pour être tout à fait franche, j'aurais adoré cela. Je savais qu'elle n'avait jamais été Jeanne d'Arc, mais j'aurais quand même adoré cela. Je n'ai encore jamais rencontré quelqu'un qui était la réincarnation d'une personne connue. Je savais néanmoins ce qui était arrivé à LeeAnne au cours d'une vie passée. Mais pour éviter de l'influencer, je me contentai de lui répondre : « Alors pourquoi ne pas commencer tout de suite et découvrir de quoi il en retourne ? » Quelques minutes plus tard, elle était sous hypnose et complètement détendue ; je lui demandai de se rendre au point d'entrée.

Une chose est sûre, son voyage dans le temps ne la ramena pas dans la France du quinzième siècle. Elle se mit plutôt à me décrire les épaisses cordes qui lui liaient les poignets et les chevilles et qui la maintenaient immobile sur un bûcher fait de planches et de bois morts, tandis qu'une foule de curieux, certains avec des visages déformés par la haine, d'autres pleurant sans retenue, se pressaient autour d'elle. Des voix se firent entendre, fortes et hargneuses, une sorte de chant dont elle n'arrivait pas à comprendre les paroles. Impuissante, figée par la peur et l'incompréhension, elle parcourut la foule du regard, puis croisa une paire d'yeux, les yeux d'un homme.

Avant qu'il n'eût détourné le regard, incapable de la regarder en face, elle comprit que tout était de sa faute, qu'il le regrettait et qu'il aurait souhaité avoir le courage de mettre un terme à tout cela. Puis quatre hommes s'avancèrent. Elle les observa tandis qu'ils allumaient les torches qu'ils portaient, embrasant la nuit de lueurs rouges et orangées. Elle était terrifiée, à quelques minutes d'une agonie longue et atroce, mais elle avait décidé de ne pas crier, ne voulant pas leur donner la satisfaction de voir son désespoir face à cette fin injuste et imméritée.

« Prenez la position de l'observateur, LeeAnne », lui dis-je. « Ces événements ne se produisent pas en ce moment, vous êtes en sûreté, vous ne faites qu'observer, vous ne courez aucun danger, dites-moi simplement ce que vous voyez, mais ne le ressentez pas. » Puis, même si je connaissais déjà la réponse, je lui demandai doucement : « Dites-moi où vous êtes.

— Mon Dieu, je suis à Salem », chuchota-t-elle.

Plus tard, après la régression, nous discutâmes de son expérience. Elle était convaincue que tout cela était réel, mais elle comprenait aussi que le mal était fait et qu'il n'y avait plus rien à craindre d'un événement s'étant déroulé trois cents ans plus tôt. Soudain, une idée lui traversa l'esprit : « Vous savez ce que je pense ? Je n'ai jamais eu d'ennuis juridiques, je n'ai pas d'avocat et je n'en connais même pas. Mais aussi loin que je me le rappelle, j'ai toujours cru que le système judiciaire était une vaste supercherie. J'imagine que le fait d'avoir été accusée et condamnée à être brûlée vive m'a laissée un mauvais goût dans la bouche, hein ? Cette histoire de mémoire cellulaire explique bien des choses. »

JULIA

• LA FAUSSE ÂME SŒUR

Si la mémoire cellulaire permet aux choses de se mettre en place, une séance de régression a peut-être sauvé la vie à Julia, ou du moins, lui a épargné des années de souffrance inutile.

Julia avait rencontré Max au mariage d'une amie. Julia était une jeune femme de dix-neuf ans, joyeuse et intelligente, étudiante à l'école des Beaux-Arts. Lui avait vingt ans : beau, ambitieux et charmeur, il était l'étoile montante de sa firme de courtage. Durant la cérémonie, tandis qu'elle tournait le dos à la congrégation en compagnie des autres demoiselles d'honneur, elle eut l'impression que quelqu'un la fixait du regard. Elle jeta un coup d'œil par-dessus son épaule et croisa le regard pénétrant de cet homme qu'elle n'avait jamais rencontré auparavant. À partir de cet instant, sa vie ne fut plus jamais la même. Julia et Max dansèrent ensemble toute la soirée. Un mois plus tard, ils emménageaient dans le même appartement, et huit mois plus tard, ils s'envolaient pour Hawaï. Ils étaient convaincus qu'il s'agissait d'un coup de foudre, qu'ils étaient des âmes sœurs, et pour elle, il n'y avait pas l'ombre d'un doute : ils avaient déjà vécu plusieurs vies ensemble. Comment expliquer autrement cette reconnaissance immédiate et ce sentiment d'intimité qui s'était aussitôt instauré entre eux ? Un seul regard avait suffi à les convaincre que leur rencontre était « prédestinée. »

Durant les premiers mois de leur mariage, Julia réalisa que Max essayait subtilement de la contrôler en la flattant. Il l'aimait « tellement » qu'il la voulait pour lui tout seul et se montrait même jaloux de ses amies et de sa famille. Il l'aimait « tellement » qu'il lui disait comment s'habiller, se maquiller et se coiffer. Il l'aimait « tellement » qu'il insista pour qu'elle reste à la maison afin de s'occuper de leur petit chez-soi, et il lui téléphonait plusieurs fois par jour pour savoir si elle était là et ce qu'elle faisait. Il l'aimait « tellement » qu'il avait peur de la perdre et l'accusait de façon éhontée de le tromper avec tout le monde, du jardinier au gérant de l'épicerie où ils faisaient leurs emplettes.

La naissance de leurs jumeaux lui fit espérer qu'il réaliserait enfin qu'elle lui était entièrement dévouée, mais au lieu de cela, il devint encore plus irritable et insatiable. Selon lui, elle était devenue trop « grosse », elle se « laissait aller », et le fait d'avoir eu des jumeaux n'était pas une excuse. Elle ne s'occupait plus autant de la maison et les repas n'étaient pas toujours servis à l'heure comme autrefois, et il lui rappelait à nouveau que le fait d'avoir eu des jumeaux ne l'excusait en rien. Après tout, il travaillait dur pour lui offrir une vie que bien des femmes lui enviaient, tandis qu'elle, elle ne rapportait pas « un sou à la maison » (elle ne prenait même plus la peine de lui faire remarquer que c'était lui qui avait insisté pour qu'elle reste à la maison, car cette remarque le rendait furieux), alors comment pouvait-il se sentir apprécié dans une maison où sa femme passait ses journées « à ne rien faire » ? Il n'avait pas épousé une « grosse bonne femme paresseuse et malpropre », alors s'il passait de plus en plus de temps avec ses « amis » plutôt que de rentrer le soir à la maison, elle n'avait qu'à s'en prendre à elle-même. De plus, il en avait assez de la voir tout le temps déprimée. Bon sang, pourquoi diable serait-elle déprimée ?

Lorsqu'il se mit à la battre, elle en conclut qu'elle était une mauvaise épouse et qu'elle avait cruellement déçu l'homme qui lui était « prédestiné », cet homme avec lequel elle avait déjà vécu dans une vie passée et à qui elle avait dévoué sa vie actuelle. À de rares occasions, lorsqu'il lui arrivait de téléphoner en cachette à sa mère ou à sa sœur ou à une amie fidèle, ressentant un pressant besoin de parler, ses interlocuteurs lui conseillaient invariablement de quitter son mari. Comme si cela était possible ! Comme si c'était ce qu'elle voulait ! Ne comprenaient-ils pas que leur vie serait un jour merveilleuse si elle parvenait à l'aimer suffisamment pour qu'il redevienne l'homme qui l'adorait et la traitait comme une reine ? Max avait raison : elle n'avait pas besoin de ces « étrangers » qui ne cherchaient qu'à « s'immiscer » dans leur vie, à briser leur mariage et à faire subir les affres d'un divorce à leurs petits jumeaux.

Avec les années, les choses ne firent qu'empirer : les jumeaux devinrent hyperactifs, anxieux et agressifs, les violentes disputes verbales, mais aussi physiques, de leurs parents les effrayant plus souvent qu'à leur tour. C'est pour leur propre bien que Julia vint me consulter. Comme Max n'aurait jamais accepté sa démarche, elle dut inventer toute une histoire pour sortir de la maison assez longtemps pour venir à son rendez-vous. Mais elle était convaincue qu'en régressant dans ses vies passées, elle découvrirait comment aider Max et le rendre heureux, son bonheur et celui de ses enfants en découleraient tout naturellement, croyait-elle.

Si vous avez lu mes autres ouvrages, vous savez que j'ai connu un mariage difficile et que j'ai un avis très tranché sur la question – non pas en tant que victime, mais en tant que survivante qui a su trouver le courage de quitter son mari avec pour tout bagage ses deux enfants et les vêtements qu'elle portait sur son dos. Même si je connaissais déjà tous les détails de ses vies passées avec Max, je savais qu'elle devait en faire elle-même l'expérience pour en être convaincue. Et comme je ne voulais surtout pas influencer sa régression d'une manière ou d'une autre, je pris le parti de me taire (et soyons franche, ce n'est pas ce qu'il y a de plus facile pour moi). Après lui avoir dit à quel point j'étais heureuse de la voir, je mis le magnétophone en route, elle se détendit et je lui expliquai : « Revenons en arrière et voyons si Max a vraiment déjà fait partie de votre vie. »

Elle l'avait déjà rencontré. À plusieurs reprises…

Au cours de leur première vie passée ensemble, ils vivaient quelque part au Moyen-Orient au treizième siècle. Max était une sorte de juge qui n'hésita pas, lorsque le mari de Julia l'accusa injustement d'avoir regardé trop longtemps un autre homme, à la condamner à avoir les yeux crevés. Dans une autre vie, Julia et Max étaient deux frères vivant en Espagne. Max assassina un rival, mais parvint à faire accuser et exécuter Julia à sa place. Puis dans une autre vie, Max était le père incestueux de Julia qui se suicida lorsqu'elle apprit qu'elle était enceinte de lui. Et finalement, Julia avait fait les frais d'un mariage arrangé avec Max. Il devait par la suite tomber amoureux d'une autre femme et la quitter en amenant son fils unique avec lui. Elle ne les revit jamais plus.

« Pas étonnant que je l'aie reconnu au premier regard », pensa-t-elle tout haut une heure plus tard. « Peut-être réussirai-je dans cette vie à régler notre différend.

— Ou peut-être en aurez-vous assez d'être sa victime et déciderez-vous de le quitter », lui dis-je.

Elle se mit à pleurer : « Vous ne comprenez pas, Sylvia. Je l'aime.

— Je vous comprends, je suis passée par là moi aussi. Et je sais une chose : l'amour seul ne suffit pas. Et puis on confond facilement l'amour avec un fort sentiment de familiarité. Compte tenu de votre histoire à tous les deux, et étant donné qu'elle vous a littéralement coûté la vie à quelques reprises, n'est-il pas normal que vous ressentiez ce sentiment de familiarité ? Mais admettons qu'il s'agisse d'amour. Ne croyez-vous pas que sacrifier la vie de vos enfants est trop cher payer ?

— Il ne leur ferait jamais de mal », répondit-elle sans hésiter.

« Vous en êtes absolument certaine ? N'est-ce pas plutôt un prétexte pour justifier votre décision de rester ? » Je ne pus résister à la tentation de partager avec elle ma propre expérience : « Je ne sais pas ce que vous allez en penser, mais mes garçons me remercient encore aujourd'hui de les avoir protégés, car il n'y a rien de plus important pour un petit garçon que de se savoir en sûreté. »

Son regard devint dur. Elle se leva et se dirigea vers la porte en me lançant dédaigneusement : « Je dois partir. »

Je la suivis et l'arrêtai juste assez longtemps pour lui glisser un morceau de papier dans la main. « Tenez, ne le perdez pas. Cachez-le quelque part, mais ayez-le toujours à portée de la main au cas où vous en auriez besoin. Vous y trouverez mon numéro de téléphone. Vous pouvez m'appeler vingt-quatre heures sur vingt-quatre, et nous tâcherons, mes pasteurs et moi, de vous aider de notre mieux. En attendant, promettez-moi de prier pour que la blanche lumière de l'Esprit Saint vous libère du mal que vous avez ramené de vos vies passées. Si vous ne le faites pas vous-même, faites-moi plaisir et faites-le pour vos enfants. »

Elle prit le bout de papier et se précipita à l'extérieur sans dire un mot. Peut-être parce que je voyais en elle la femme que j'avais été à vingt ans, je n'arrivais pas à l'oublier. Je pensais à elle, je me faisais du souci pour elle, je priais pour elle et j'ai même demandé à mes pasteurs de prier pour elle.

Huit mois plus tard, alors que je donnais une série de conférences en Nouvelle-Angleterre, je reçus un appel sur mon téléphone cellulaire. L'un de mes pasteurs m'informa que Julia avait finalement téléphoné. Pendant que Max était au travail, elle s'était réfugiée avec ses jumeaux dans un centre d'hébergement pour femmes en difficulté – Julia avait un bras dans le plâtre et un des jumeaux un œil au beurre noir.

Il y a déjà cinq ans de cela. Aujourd'hui, Julia et ses enfants vivent heureux dans un autre État. De leur côté, Max et sa seconde épouse sont en attente de leur procès pour négligence et abus contre leur propre enfant. Ce dernier est actuellement en foyer d'accueil, et Julia prie tous les jours pour le bien-être de cet enfant qui aurait pu être le sien et pour ne pas oublier, si jamais sa mémoire cellulaire lui signalait un jour la présence d'une personne qu'elle a connue dans une vie passée, qu'il est parfois préférable de s'enfuir !

MARY BETH

• DEMOISELLE D'HONNEUR À VIE

Un de perdu, dix de retrouvés. Mary Beth rencontrerait un jour l'homme de ses rêves. Jolie, intelligente et gentille, il serait forcément séduit par sa personnalité, assez du moins pour lui demander un rendez-vous. Ils se fréquenteraient sur une base régulière, tout semblerait aller comme sur des roulettes, puis un jour, sans crier gare, il lui expliquerait qu'il la considère comme une bonne amie et qu'il veut avoir son avis au sujet d'une autre femme dont il est tombé amoureux.

« Ne vous méprenez pas », me dit-elle. « Je suis fière d'être une bonne personne et une bonne amie, et je suis heureuse de voir que les hommes me font suffisamment confiance pour se confier à moi. Mais j'ai trente-deux ans à présent. De toute ma vie, je n'ai reçu qu'une seule demande en mariage, et il s'agissait d'un garçon que je connaissais à peine et qui voulait se marier pour obtenir sa carte verte. La satisfaction d'être la meilleure amie du monde a perdu de son charme. Pour une fois, j'aimerais être cette femme qui pousse les hommes à demander conseil. Je sais que mes chances sont minces, mais j'espérais que vous pourriez me dire ce qui ne va pas ou encore pourquoi tous les hommes veulent m'avoir pour amie plutôt que pour amante. » Connaissant le pouvoir de la mémoire cellulaire pour avoir lu sur le sujet et assisté à mes conférences, elle avait déjà élaboré quelques scénarios qui pourraient expliquer son problème actuel : elle avait peut-être été conseillère dans un orphelinat pour garçons, la mère d'une multitude de garçons qui lui demandaient toujours conseil, un prêtre particulièrement doué pour les confessions ou un procureur toujours prêt à défendre les hommes et les garçons dans le pétrin sans pour autant les juger. Mais comme cela arrive souvent, la vérité n'avait rien à voir avec les scénarios qu'elle avait imaginés.

Au début du dix-neuvième siècle, Mary Beth était une adolescente, sans parents ni famille, vivant et travaillant dans un bordel. Contrairement au cliché de la prostituée misérable, pauvre et traumatisée qui arpente les rues en faisant semblant de sourire pour attirer les clients, Mary Beth aimait la vie qu'elle menait. Elle se sentait valorisée par ses clients. Elle avait l'impression d'être appréciée. Les relations sexuelles en tant que telles n'étaient qu'un intermède insignifiant et banal, un geste que ces hommes devaient poser avant de pouvoir lui confier leurs peurs, leurs frustrations et leurs peines d'amour. Mary Beth conservait tous leurs secrets jalousement, tout comme elle faisait semblant de ne pas les connaître lorsqu'ils se croisaient sur la rue. Toutes les prostituées de la maison mettaient leur argent en commun, payaient leurs factures à temps, s'occupaient les unes des autres et versaient un don anonyme tous les dimanches à l'église de leur quartier, même si elles n'y étaient pas les bienvenues. Mary Beth mourut à l'âge de quarante-quatre ans d'une maladie vénérienne, mais elle mourut fièrement, dignement et sans regret.

La régression la laissa incrédule : « J'étais une *pute* ? » s'exclama-t-elle à quelques reprises. « Et pas seulement une pute, mais une pute *heureuse* ? » C'était trop ridicule pour être vrai, mais Mary Beth ne pouvait nier l'extraordinaire clarté de son expérience, et au fond de son âme, quelque chose lui disait que tout cela était bien réel. En y réfléchissant bien, elle se rendit compte que ce récit avait du sens et expliquait bien des choses dans sa vie actuelle. Si chaque fois qu'elle rencontrait un nouvel homme, sa mémoire cellulaire lui envoyait un message lui disant qu'elle avait tout intérêt à devenir sa confidente pour éviter le fardeau et les complications d'une relation amoureuse, elle devait par conséquent envoyer le même message aux hommes qui entraient dans sa vie.

« Mais qu'est-ce que je peux faire ? » me demanda-t-elle. « Comment ne pas envoyer ces signaux alors que je ne sais même pas que je les envoie ! »

Je l'assurai qu'elle n'avait plus rien à faire consciemment maintenant que le lien avait été établi. Son esprit spirituel et sa mémoire cellulaire, ayant réalisé qu'ils réagissaient à une vie désormais révolue, allaient se réajuster d'eux-mêmes. Tout ce qu'elle avait à faire était de prier pour être libérée de ces leçons d'une autre vie qui ne lui servaient plus à rien, et enfin vivre sa vie comme elle l'entendait.

Le cas de Mary Beth illustre parfaitement le vieil adage : « Faites attention à ce que vous demandez dans vos prières, vous risquez de le recevoir. » Lorsque je reçus des nouvelles de Mary Beth huit mois plus tard, elle était tiraillée entre deux petits amis, tous les deux sérieux et ayant beaucoup à offrir. Elle me téléphonait pour savoir lequel elle devait choisir. Elle suivit mon conseil et rompit avec le grand architecte paysagiste à la mâchoire carrée et aux yeux bleus, et décida de s'engager avec un monteur de films, plus petit, plus costaud et légèrement moins beau, père de deux enfants issus d'un précédent mariage et le maître de trois chiens. Avant longtemps, ils eurent deux autres enfants et deux autres chiens, et il prit très bien la nouvelle lorsqu'elle lui annonça qu'il venait en fait de marier une ancienne prostituée anglaise. « En fait, nous nous sommes mis d'accord pour ne pas nous tenir responsables de ce que nous avons fait avant l'année 1900 », me dit-elle.

JAY – 8 ANS

• HYPERACTIF
• PROBLÈMES RESPIRATOIRES

J'adore travailler avec les enfants, car ils font d'excellents sujets de régression. La plupart d'entre eux – et j'entends par là la grande majorité d'entre eux – se souviennent encore de leurs vies passées et partageront volontiers leurs souvenirs avec vous si vous leur demandez mine de rien : « Où vivais-tu avant de vivre ici ? » Fraîchement débarqués de l'AU-DELÀ, ils n'ont pas encore appris qu'il ne faut pas parler de nos vies passées et ignorent qu'il y a des gens qui n'y croient pas du tout. Dès qu'ils sont en âge de formuler des phrases complètes, ils peuvent passer des heures à nous raconter où ils ont vécu, les épreuves qu'ils ont traversées, qui les accompagnait et à quoi ressemble l'AU-DELÀ. Ainsi nous aurions tort de ne pas les écouter ou de traiter leurs récits de balivernes. Avant qu'ils ne soient en âge de parler, nous pouvons grandement les aider, surtout lorsqu'ils dorment et que leur esprit spirituel intemporel est bien éveillé, en leur chuchotant à l'oreille de se libérer dans la blanche lumière du Saint Esprit de toutes leurs douleurs et de toute leur négativité.

En me confiant Jay, son pédiatre m'expliqua qu'il n'avait trouvé aucune cause physiologique à son hyperactivité et à ses problèmes respiratoires. Jay était un enfant remarquablement doux, intelligent et facile à vivre aux prises avec des difficultés qui provoquaient chez lui des terreurs nocturnes, des attaques de panique et des problèmes de comportement et d'attention en classe. Son pédiatre, lui ayant fait passer tous les tests, rencontrer tous les psychologues et prendre tous les médicaments inimaginables, avait finalement décidé de me contacter. Il n'avait pas employé l'expression « dernier recours », mais comme nous sommes d'assez bons amis, cela ne m'aurait pas offensée s'il l'avait fait, surtout qu'il s'était donné la peine de me téléphoner.

Il ne s'était pas trompé au sujet de Jay ; c'était un garçon extraordinairement adorable, doux, intelligent et curieux, et doté d'un grand sens de l'humour. Il démontra de l'intérêt pour tout ce qui se trouvait dans mon bureau, en particulier pour les photographies de mes petits-enfants qui semblaient le fasciner. Il voulait tout connaître à leur sujet, car, me confia-t-il comme si nous étions deux vieux de la vieille, il aimait beaucoup les enfants. Fait encore plus significatif, lorsque je lui demandai s'il était heureux, il me répondit : « Je veux l'être. » Je ne pouvais espérer tomber sur un sujet plus réceptif et il me le prouva en entrant sous hypnose avec une facilité déconcertante. Je lui demandai de retourner en arrière pour trouver le point d'entrée de ses problèmes et je ne pus m'empêcher de sourire lorsqu'il me répondit simplement : « Je le ferai. »

Il se mit aussitôt à me parler de sa vie en Caroline du Sud. Il était l'époux d'une « grosse femme appelée Anna, qui était très gentille. » Ils avaient douze enfants et Jay se souvenait qu'il devait travailler dur et prendre soin des chevaux sur un ranch pas très loin de chez lui. Il aimait la bruyante et espiègle compagnie de ses enfants, surtout le soir lorsqu'ils dînaient tous ensemble et le dimanche matin lorsqu'ils se rendaient à la messe. Mais un jour, Jay dut partir à la guerre. Il était triste de quitter sa famille et cette vie simple, et il avait peur de ne jamais revoir sa maison. Assigné sur un cuirassé, il garda toujours sur son cœur une photographie de sa femme et de ses enfants. Mais avant même d'arriver à destination, son cuirassé fut attaqué et Jay mourut instantanément lorsqu'un « morceau de métal » lui écrasa le cou et la trachée.

L'autre vie dont Jay se souvint se déroulait au Danemark. Il était une femme, mariée et mère de dix enfants, vivant sur une ferme. Tandis qu'il me décrivait sa famille, Jay se mit à rire et je lui demandai pourquoi. Il venait de se rendre compte que son enfant le plus turbulent était actuellement sa mère et cela le fit beaucoup rire de voir que c'était à présent à son tour de le discipliner. Vers l'âge de trente-quatre ans, Jay dut prendre le lit, atteint d'une tuberculose qui devait s'avérer mortelle. Étendu dans son lit, seul, il entendait les enfants jouer bruyamment de l'autre côté de la porte close, mais il était désormais trop malade pour être la mère dont ils avaient besoin et qu'ils méritaient.

Jay m'écouta très attentivement lorsque je lui expliquai qu'après être mort d'un écrasement de la trachée et d'une pneumonie, les cellules de son corps croyaient qu'elles appartenaient toujours à l'une de ces autres vies, et que cela expliquait pourquoi il avait tant de mal à respirer aujourd'hui. Il en était de même pour son hyperactivité. Il était habitué de vivre dans une famille nombreuse et bruyante, entouré d'un tas d'enfants, et par deux fois il avait été séparé de sa famille pour des raisons hors de son contrôle. Dans cette vie, étant enfant unique, plus il créait de bruit et de chaos, plus il avait l'impression de retrouver cette atmosphère familière, sans compter que cela lui permettait de se libérer de la frustration d'avoir quitté ces vies alors qu'il n'était pas encore prêt à le faire.

Au bout d'une semaine, je téléphonai aux parents de Jay pour prendre de ses nouvelles. Ses parents m'apprirent qu'il n'avait plus de problèmes respiratoires depuis notre séance et qu'ils avaient reçu un appel de son professeur leur demandant si Jay prenait un nouveau médicament, car il était devenu beaucoup plus calme et attentif en classe depuis quelques jours.

Six mois plus tard, je reçus un autre rapport sur Jay, cette fois du pédiatre qui me l'avait référé. Non seulement ses problèmes respiratoires avaient-ils disparu, mais Jay n'avait même pas reniflé une seule fois durant tout l'hiver. Il ne prenait plus de médicaments et semblait tout à fait capable et impatient de bien se comporter par lui-même. Sa mère m'apprit également que les « D » sur son bulletin s'étaient transformés en « B » et en « C ».

« Je ne sais pas ce que vous avez fait », me dit-elle.

« Mais cela a fonctionné », dis-je, complétant ainsi sa pensée.

QUELQUES EXEMPLES RAPIDES

Ce ne sont pas tous mes clients qui ont besoin d'une longue séance de régression pour aller au cœur du problème terré dans leur mémoire cellulaire. Souvent, il suffit qu'ils entrevoient une parcelle de leurs vies passées pour obtenir l'information nécessaire à leur guérison.

Caroline, qui souffrait *d'une peur irrationnelle des insectes*, découvrit qu'un essaim de criquets l'avait littéralement étouffée tandis qu'elle travaillait aux champs, en Afrique, vers 1503.

La claustrophobie de Tom disparut le jour où il revit l'effondrement de la mine de charbon où il travaillait et mourut au début du dix-huitième siècle.

Barry avait *peur des hauteurs* jusqu'à ce qu'il se souvienne d'une chute en bas d'un cocotier survenue alors qu'il vivait à Hawaï vers l'an 1600. La chute lui avait brisé le dos et il était mort seul à l'ombre des palmes du grand arbre, incapable de bouger ou d'appeler à l'aide.

Anne-Marie en avait assez de se faire taquiner à cause d'une étrange phobie : *elle refusait de manger ou de boire quelque chose qu'elle avait perdu de vue*, ne serait-ce qu'un bref instant. Elle ne pouvait pas manger au restaurant si elle ne voyait pas ce qui se passait dans la cuisine ou reboire dans un même verre si elle quittait momentanément la pièce où il se trouvait. Mais après qu'elle eut revisité une vie antérieure où elle était morte empoisonnée par les hommes mêmes qui étaient censés la protéger contre une poignée de rebelles qui voulaient sa mort, sa phobie disparut rapidement et définitivement.

Comme je l'ai dit précédemment, si un client prend une peur ou une aversion au sérieux, je fais de même, sans faire d'exception.

Lorsque Ted vint me voir pour que je l'aide à surmonter sa *peur des requins*, il m'avoua que cela le gênait de me faire perdre mon temps pour une chose aussi enfantine ; après tout, il n'était pas irrationnel d'avoir peur des requins et il ne risquait pas d'en croiser à plus de mille kilomètres de la côte. Mais il en avait assez de faire des cauchemars et de trouver des excuses pour éviter les piscines de ses amis et les excursions qui devaient l'amener près d'un lac, même s'il savait pertinemment qu'il n'y avait pas de requins dans ces endroits. Il était excédé par l'ironie de sa situation : qui ferait confiance à un psychologue clinicien aux prises avec une phobie pareille ?

Pour le guérir, il suffit d'un bref retour en arrière, en l'an 1415, à l'époque où Ted était un marin espagnol. Il avait eu la jambe arrachée par un requin tandis qu'il nageait vers la rive après que son navire eut pris feu et coulé. Heureusement pour lui, il s'était noyé avant que le requin ne revienne achever son repas. Il ne se souvenait que des derniers moments de cette horrible vie, mais cela était plus que suffisant pour le libérer de sa mémoire cellulaire. Quatre ans plus tard, les cauchemars avaient disparu, il s'était fait construire une piscine dans sa propre cour et pour se moquer de lui-même, il avait fait inscrire sur une enseigne qui accueillait les visiteurs : « Défense de courir, de pousser, d'éclabousser ou d'introduire des requins dans la piscine. »

Avant que Diane n'ose me confier son secret, je dus patienter plusieurs minutes et lui promettre que je ne rirais pas. À son grand embarras, Diane avait *une peur bleue des édredons*. À première vue, c'était aussi ridicule que d'avoir peur des requins au beau milieu de l'Arkansas. Mais déjà enfant, Diane se mettait à trembler et à pleurer à la vue d'un édredon. Devenue adulte, elle avait encore des sueurs froides et des nausées lorsqu'elle s'approchait d'un édredon, que ce soit dans un magasin ou chez une amie. « Cette phobie est en train de me rendre folle », me confia-t-elle dans ses propres mots. « Et cela commence à me tomber sur les nerfs. » Puis elle découvrit qu'elle avait vécu dans la misère en Pennsylvanie en 1780. Elle était alors un petit garçon solitaire et triste qui fabriquait des édredons pour une entreprise familiale. Une fille plus âgée qui travaillait dans la même entreprise développa une passion obsessive pour lui et le tua lorsqu'il repoussa ses avances. Cela expliquait vraisemblablement son aversion pour les édredons. Diane ne les aime toujours pas, mais elle ne souffre plus des crises d'hystérie qu'elle avait tenté en vain de surmonter et de comprendre.

Que vos peurs, phobies ou aversions soient mentionnées ou non dans ces récits, j'espère que vous serez rassuré d'apprendre que des personnes tout comme vous ont su surmonter définitivement des obstacles similaires, simplement en libérant les souvenirs cellulaires qui causaient ces obstacles et en donnant à leur esprit la guérison dont il avait tant besoin.

Et Dieu merci, le pouvoir curatif de la mémoire cellulaire ne s'arrête pas là. En fait, ce n'est que le commencement. Ce que nous pouvons accomplir dans le domaine de la santé physique est tout aussi remarquable, et dans certains cas, miraculeux.

TROISIÈME PARTIE

SANTÉ ET HANDICAPS PHYSIQUES

STEVE

• INDIGESTION CHRONIQUE

Je voudrais mettre tout de suite une chose au clair : Steve et moi étions déjà amis avant de procéder à sa régression. Il compte parmi mes meilleurs amis, et nous avons bien ri en nous remémorant le bon vieux temps, lorsque nous partions en tournée pour présenter notre spectacle de vaudeville babylonien. Peut-être croyez-vous que notre amitié entache l'objectivité de sa régression, mais en fait, j'avais deux bonnes raisons de lui demander de se prêter à une séance de régression avec moi : il a souffert toute sa vie d'un grave problème de digestion chronique et je savais qu'il ne me ménagerait pas en faisant semblant d'être hypnotisé si rien ne devait se passer ou en prétendant avoir obtenu des résultats si ce n'était pas absolument vrai. Stevie n'était ni sceptique, ni crédule. Mais il m'a assuré avant de débuter qu'il n'avait aucune attente particulière et qu'il ne serait pas déçu ou surpris si la régression ne fonctionnait pas.

Steve se retrouva presque instantanément en Chine. Il était un fermier, cultivant la terre et élevant des animaux. Sa femme n'étant plus de ce monde, il vivait avec ses deux fils et sa fille qui s'occupaient de lui, car il avait déjà près de soixante ans et il était gravement malade (il s'agissait en fait d'un cancer de l'estomac.)

J'amenai Steve à revivre cette mort sereine et bienvenue, croyant qu'il me décrirait sa prochaine vie, mais il se retrouva plutôt au milieu d'une magnifique prairie verdoyante, entouré d'une vive lumière blanche qui semblait pénétrer jusqu'à son âme, une lumière qui n'était que paix, sagesse, pureté et amour. Il reconnut la présence de Dieu dans cette lumière et comprit pour la première fois de sa vie ce qu'était une extase religieuse.

Et ce fut tout. La régression de Steve était terminée. Il se releva, prêt à entamer la discussion, avec sa franchise habituelle : « Bon, je dois admettre qu'à part la prairie et la lumière, je ne me suis pas vraiment senti concerné », me dit-il. « J'ai fait ce que tu m'as dit de faire et répondu la première chose qui me venait à l'esprit chaque fois que tu me posais une question, mais est-ce que cette vie en Chine est réelle ou non ? Je n'en ai pas la moindre idée. Comprends-moi bien, c'était très intéressant. Mais j'avais l'impression de regarder un film qui ne me concernait pas, et même là, ce n'était pas très clair. Je suis désolé… »

Je l'assurai que ses excuses n'étaient pas nécessaires. Nous avons tenté notre chance. Sans rancune. Nous n'en avons jamais reparlé, mais alors que nous étions plongés, Lindsay et moi, dans la rédaction de ce livre, je décidai, étant donné que huit mois s'étaient écoulés depuis notre rencontre, qu'il serait peut-être intéressant de faire un suivi avec lui. Pour ne pas l'embarrasser, et sachant qu'il se sentirait obligé de dire quelque chose de gentil parce qu'il m'aimait bien, je demandai à Lindsay de le contacter, d'abord parce qu'elle le connaissait depuis plus longtemps que moi et ensuite parce qu'il n'allait surtout pas s'autocensurer devant elle et qu'il lui dirait franchement ce qu'il pensait de cette expérience.

N'oubliez pas que Steve avait souffert toute sa vie d'indigestion chronique, et que plus il vieillissait, plus la douleur devenait aiguë, si bien qu'il s'était résigné à l'accepter comme étant l'une de ces choses inévitables qui vous frappent vers la cinquantaine. La liste des aliments qu'il pouvait ingérer sans inconfort devenait de plus en plus courte, mais ce qui le choquait le plus, c'était de savoir qu'en dînant vers dix-neuf heures trente, il devait s'attendre à une longue nuit de douleurs et de crampes. Évoluant dans un milieu social et professionnel où ce genre de dîner est presque une nécessité de la vie, il n'arrivait plus à trouver d'excuses et son nom apparaissait de moins en moins souvent sur les listes d'invités.

« J'ai promis d'être tout à fait franc, tu le sais, n'est-ce pas ? » dit-il lorsqu'il rencontra Lindsay.

« Nous n'espérons rien de moins », lui dit-elle pour le rassurer.

« Eh bien, lorsque je fais attention à ce que je mange et à l'heure où je mange, je ne souffre plus d'indigestion pour la première fois de ma vie.

— Et que se passe-t-il quand tu ne fais pas attention ?

— Lorsque je ne fais pas attention et que je ne prends aucune précaution » - il s'arrêta, prit une profonde respiration et ajouta – « eh bien, ma situation s'est améliorée d'au moins soixante-quinze pour cent !

— Et depuis quand ?

— Je n'arrive pas encore à y croire, car j'aurais juré que j'inventais à mesure cette histoire de fermier chinois et de cancer de l'estomac, mais tout de suite après ma régression avec Sylvia, ma digestion et ma santé en général se sont énormément améliorées. Et je ne sais toujours pas si cela est dû à la régression, mais depuis ce temps, je me souviens de mes rêves et cela ne m'était jamais arrivé auparavant. »

Je sais ce que c'est, et avoir été présente, je lui aurais expliqué qu'il était courant que nos rêves deviennent soudainement plus vivants après une régression. C'est un peu comme si l'esprit spirituel, ayant pris pleinement conscience de son histoire et s'étant délié les jambes, refusait désormais de passer inaperçu et se manifestait durant notre sommeil, lorsque notre esprit conscient ne peut plus interférer.

Lindsay lui demanda s'il pouvait attribuer d'autres changements à l'exploration de son passé. Il n'hésita pas une seule seconde :

« Il s'est produit un changement important dans ma vie, peut-être encore plus étonnant que la disparition de mes indigestions : j'ai perdu l'habitude de me faire du souci. Tout ne va pas pour le mieux dans ma vie. J'ai un emploi précaire, mes économies ont fondu, et si les choses ne prennent pas une autre tournure bientôt, je ne sais pas ce que je vais faire. Mais cela ne me rend pas anxieux comme avant ma régression. Je ne suis pas passif, je fais tout ce que je peux pour m'en sortir. Mais est-ce que je me fais du souci ? Non. »

Lindsay était pour le moins surprise et étonnée. Steve n'était pas du genre à se plaindre, mais elle savait qu'il avait tendance à se faire du souci, même s'il le cachait bien. « Mais pourquoi ? » lui demanda-t-elle. « Est-ce à cause de la régression ou de quelque chose d'autre ?

— La régression », répondit-il sans hésiter. « Cela s'est produit dans la prairie, lorsque j'ai senti cette extraordinaire lumière blanche. Cette expérience était bien réelle, il n'y a jamais eu le moindre doute dans mon esprit. C'était aussi réel que cette chaise, cette table, cette tasse de café, et je peux retrouver cette émotion instantanément si je le désire. Chaque fois que je me sens anxieux ou que je me fais du souci, je sens à nouveau cette lumière autour de moi et je sais – *je sais* – que tout ira bien. C'est extraordinaire. Je ne l'oublierai jamais, d'autant que je n'aurais jamais cru que je pourrais connaître un jour une telle tranquillité d'esprit. »

L'exemple de Stevie montre bien qu'on peut débuter une séance de régression en ayant un objectif en tête, puis finalement découvrir qu'on a résolu plusieurs autres problèmes par le fait même. Mais son cas illustre également pourquoi je ne tente jamais d'orienter les régressions de mes clients. Même si je suis médium, je ne perçois pas aussi clairement que l'esprit spirituel du sujet quelles sont les douleurs rattachées à sa mémoire cellulaire et où il doit se rendre pour s'en libérer. C'est Steve, et non pas moi, qui voulait trouver l'origine de ses maux d'estomac, et c'est lui qui procéda à sa guérison en faisant une courte escale dans l'AU-DELÀ afin de se rappeler que peu importe ce qui le tracassait, la MAISON s'occuperait de tout.

R.C.

• INFECTIONS DES VOIES RESPIRATOIRES ET PNEUMONIE CHRONIQUE

À cinquante-neuf ans, R.C. avait abandonné l'idée de survivre à un hiver sans contracter deux ou trois infections pulmonaires assez graves pour le forcer à rester au lit pendant des semaines, à se présenter d'urgence à l'hôpital pour des problèmes respiratoires, et à se faire hospitaliser chaque fois que la maladie dégénérait en pneumonie. Pourtant, il prenait toutes les précautions inimaginables ; il consommait des doses massives d'échinacée et de vitamine C, se faisait vacciner contre la grippe, et évitait tous les lieux publics – sauf pour se rendre à son bureau. Malgré tout, il avait célébré les quatre derniers Noëls aux soins intensifs, tandis que sa femme, ses enfants et ses petits-enfants passaient leurs vacances à faire l'aller-retour entre la maison et l'hôpital. En raison de ses absences prolongées du travail et de son âge, la situation professionnelle de R.C. était devenue des plus précaires, surtout qu'il ne manquait pas de jeunes comptables en santé pour prendre sa place dans la compagnie. S'il devait perdre son emploi, sa famille se retrouverait dans une situation financière extrêmement difficile. Pour aggraver ses problèmes personnels et financiers, Camille, son épouse depuis trente ans, souffrait de terribles maux au dos et à la hanche et ressentait fréquemment de l'engourdissement dans les jambes et les pieds. Malgré la physiothérapie intensive, les médicaments et plusieurs opérations, elle souffrait constamment et était incapable de travailler.

« Au moment de nos fiançailles, j'avais promis à Camille de prendre ma retraite à soixante ans, d'acheter un immense Winnebagos et de passer le restant de mes jours à l'amener partout où elle voudrait aller. Mais voyez-vous, je vais avoir soixante ans dans trois semaines, j'ai peur de perdre mon emploi parce que je suis malade quatre mois par année, et tout ce que je peux offrir à ma femme en guise de voyage, ce sont ces sempiternels aller-retour entre l'hôpital et la maison. Et pour couronner le tout, sans vouloir vous offenser, je me retrouve dans le bureau d'un médium ! »

Je lui répondis en souriant : « Je ne me sens pas offensée. »

Il me rendit aussitôt mon sourire : « Mon médecin vous aime bien, et comme je lui fais confiance, je me suis dit que je n'avais rien à perdre.

— Très bien, mais voyons voir si nous pouvons découvrir ce qui ne va pas.

— Je vous écoute », dit-il pour me rassurer, même s'il était nerveux et hésitant.

« Ce n'est pas à moi de vous dire ce qui ne va pas. C'est à vous de le faire. » J'ignorai la confusion qui se peignit sur son visage et entrepris de le détendre afin de le placer sous hypnose.

Vingt minutes plus tard, R.C. me décrivait sa vie en Afrique. Il était architecte, marié et père de trois fils. Il était heureux, prospère et fier d'être un bon père et bon époux, mais il se demandait souvent comment un petit homme maigre et pas très séduisant comme lui avait pu se retrouver avec une épouse et des enfants aussi beaux. Un jour, alors qu'il avait quarante-six ans, il décida d'offrir des vacances à sa famille, leur disant qu'il les rejoindrait quelques jours plus tard, lorsqu'il aurait terminé son travail. Après leur avoir dit au revoir, il retourna sur son chantier de construction. Il n'était pas certain de se rappeler ce qui s'était passé ou comment cela s'était passé, mais il y avait eu des cris, du chaos et de la panique, puis il avait aperçu une grosse pierre vaciller au sommet d'un pilier avant de chuter dans sa direction. La pierre s'était effondrée sur lui, l'écrasant au sol et lui broyant la poitrine ; il était mort en se demandant quand et comment on avertirait sa famille de ce qui venait de se passer.

Puis il me décrivit sa vie au pays de Galles. R.C. était célibataire, vivait seul et passait de longues journées éreintantes dans un petit port de mer qu'il avait lui-même fondé. Le travail était dur, mais il adorait ce qu'il faisait, et il se sentait responsable des autres pêcheurs comme s'ils avaient été ses propres frères. Lui et les autres hommes du village avaient conquis les eaux grises et froides du chenal, mais ils ne parvinrent pas à repousser les Vikings qui attaquèrent un jour le petit port sans défense, par mer et par terre, tuant tous les habitants sur leur passage, y compris R.C., qui mourut instantanément à l'âge de quarante-huit ans, le cœur transpercé par une lance.

Puis il se retrouva en Suède, vaillant soldat de l'armée du roi. Une nuit, durant son sommeil, un compagnon d'armes, qui l'avait injustement accusé d'être un voleur, le poignarda à plusieurs reprises dans la poitrine, les mains et les jambes. Il survécut à ses blessures, mais n'étant plus apte au service militaire, il dut vivre le reste de sa vie dans la douleur et la pauvreté, mendiant dans les froides et cruelles allées de Stockholm, avant de mourir de froid vers l'âge de cinquante ans.

R.C. était l'un de ces rares clients que j'appelle « somnambule » — un terme général qui désigne, dans le cadre d'une séance de régression, un sujet qui ne garde aucun souvenir de ce qu'il a dit ou fait pendant qu'il était sous hypnose. Il m'écouta avec incrédulité tandis que je récapitulais pour lui les faits marquants de notre séance, puis je glissai la cassette dans sa poche afin qu'il puisse l'écouter plus tard et ainsi avoir la preuve que je n'avais pas tout inventé.

« Vous ne m'avez pas dit quand ont débuté vos problèmes respiratoires et vos pneumonies », dis-je. « Quel âge aviez-vous ?

— Je devais avoir quarante-huit ans. Pourquoi ?

— Ne voyez-vous pas ce qui est en train de se passer avec votre mémoire cellulaire ? À trois reprises par le passé, vous avez souffert de graves traumatismes vers l'âge de quarante-huit ans. Votre mémoire cellulaire réagit tout simplement à ces souvenirs et recrée aujourd'hui des douleurs comparables, car c'est tout ce qu'elle sait faire. »

Il réfléchit à la question pendant un moment, puis dit : « D'accord, je ne suis pas en mesure d'argumenter avec vous. Mais si nous venons d'effectuer une véritable percée, pourquoi ai-je l'impression que rien n'a changé ?

— Attendez un peu et écoutez la cassette. À la fin de l'enregistrement, vous m'entendrez réciter une prière pour vous libérer de vos souvenirs cellulaires négatifs. Apprenez-la par cœur et prenez l'habitude de la réciter plusieurs fois par jour. Puis vous me téléphonerez à la fin de l'hiver pour me dire combien de pneumonies vous avez eues. »

Il était intrigué, mais pas encore convaincu, ce qui me convenait tout à fait. Je préfère que mes clients tirent leurs propres conclusions plutôt que de croire aveuglément tout ce que je dis. Je l'accompagnai jusqu'à la porte de mon bureau, puis dans le vestibule où l'attendait une petite femme charmante aux yeux bruns qui s'avança vers R.C. et lui demanda avec inquiétude : « Comment cela s'est-il passé ? »

Il lui répondit d'un haussement d'épaules évasif, puis il se tourna vers moi : « Sylvia, je vous présente ma femme, Camille. Camille, voici Sylvia Browne. »

Elle me tendit la main en souriant. Sa timidité était charmante, mais je pouvais voir qu'elle vivait dans la douleur, comme R.C. me l'avait appris. Sur l'impulsion du moment, je lui dis : « J'aimerais beaucoup vous aider. »

Prise au dépourvu par mon offre, elle me répondit : « Vraiment ? Alors, d'accord et merci, ce serait bien, mais je sais qu'il y a une longue liste d'attente, alors…

— Et pourquoi pas maintenant ? Votre mari était mon dernier rendez-vous de la journée. J'aimerais beaucoup vous aider. »

CAMILLE

• DOULEURS DANS LE BAS DU DOS ET À LA HANCHE
• ENGOURDISSEMENT DES PIEDS ET DES JAMBES

Camille avait cinquante-sept ans, deux ans de moins que R.C., dont elle était toujours amoureuse après trente ans de mariage. Elle s'inquiétait tellement pour sa santé qu'elle considérait ses dix ans de douleurs chroniques et d'opérations chirurgicales infructueuses comme un simple embêtement qui l'empêchait de s'occuper de lui autant qu'elle l'aurait voulu.

« Votre mari va s'en sortir », lui assurai-je. « À présent, nous allons vous redonner la santé afin que vous puissiez l'accompagner. » Je savais que la présence de R.C. dans la salle d'attente la préoccupait, c'est pourquoi dès qu'elle fut sous hypnose, je lui demandai de se rendre directement à ses points d'entrée.

Elle se retrouva aussitôt dans un wagon, en 1851, faisant le dur périple vers l'Ouest entre la Virginie et la Californie, en compagnie de son mari, fermier de son état. À vingt ans, et avec deux jeunes enfants, elle était enthousiaste à l'idée d'entreprendre une nouvelle vie sur cette nouvelle terre promise. Une fois sur place, ils construisirent leur modeste ferme sur une terre de soixante acres dans le nord de la Californie, près de la frontière du Nevada. Mais un jour, tandis qu'elle traversait un champ avec ses enfants pour aller porter de la nourriture à des voisins, ils tombèrent dans une embuscade tendue par une bande d'Indiens rebelles. Leurs flèches lui transpercèrent le bas du dos et la hanche du côté gauche, et elle mourut au bout de son sang, entourée des corps de ses enfants.

Elle se retrouva ensuite en Caroline du Nord, à nouveau sur une ferme, au milieu de la vingtaine, mariée, heureuse et sans enfant. Tous les matins, après le départ de son mari pour une autre journée de dur labeur aux champs, Camille faisait une longue randonnée sur son cheval préféré, une fougueuse jument couleur noisette appelée Athéna. Elle se souvenait d'un matin d'avril où, voyant qu'il se mettait à pleuvoir, elle avait décidé de rentrer à la maison, quoique à contrecœur. Sur le chemin du retour, alors qu'elle traversait un ruisseau peu profond, son cheval avait pris peur en apercevant des serpents d'eau de l'autre côté de la rive. Camille avait été projetée au sol et découverte peu de temps après par un fermier inquiet de voir Athéna sans son cavalier. Dans sa chute, Camille s'était fracturé la hanche et le bas de la colonne vertébrale ; elle demeura paralysée à partir de la taille et fut désormais incapable de marcher ou de s'occuper de son mari et d'elle même. Ironie du sort, elle survécut à son mari qui mourut d'un anévrisme alors qu'elle approchait de la cinquantaine. Ses ouvriers agricoles et leurs femmes s'occupèrent d'elle jusqu'à sa mort, à l'âge de cinquante-neuf ans.

Tous les éléments étaient en place – ses problèmes de dos et de hanche apparemment incurables, l'engourdissement occasionnel du bas du corps, le fait d'être davantage concernée par les problèmes de son mari que par les siens propres – ses problèmes étaient chroniques et « intraitables » parce que sa mémoire cellulaire lui envoyait des signaux lui rappelant la douleur, la paralysie et les pertes qu'elle avait subies dans une autre vie. Contrairement à R.C., elle fit tout de suite le lien, et c'est avec un nouvel enthousiasme pour la vie qu'elle alla le rejoindre dans la salle d'attente. Je ne pus m'empêcher de sourire en les voyant s'éloigner dans le crépuscule de ces derniers jours d'été, sachant que de fascinantes conversations les attendaient à la maison.

R.C. n'eut plus jamais d'infection des voies respiratoires, ni de pneumonie. Plus une seule. En fait, il prit sa retraite cinq ans plus tard sans jamais avoir manqué un autre jour de travail. Entre-temps, Camille retrouva la santé et la force nécessaires pour accepter un emploi que lui avait proposé une amie en charge d'un service de garderie. Le contact des enfants qu'elle adorait la garda jeune, occupée, stimulée et active. La dernière lettre que je reçus d'eux remonte à plus d'un an. Ils avaient inscrit pour toute adresse de retour : « N'importe où, USA », et la lettre contenait une photographie où on les voyait tous les deux dans la cabine de leur motorisé. Il y avait aussi un post-scriptum écrit à la main : « Que puis-je dire ? – quand vous avez raison, vous avez raison. Merci ! R.C. »

JUDITH

• ASTHME CHRONIQUE

Les crises d'asthme occasionnelles de Judith ne débutèrent qu'au début de la vingtaine, après la naissance de son unique enfant. Elle avait à présent quarante-trois ans et venait tout juste d'obtenir son diplôme de médecine, en vue de réaliser son rêve d'ouvrir un bureau de pédiatrie dans sa ville natale, près de Cleveland. Elle était déterminée à se débarrasser de son asthme non seulement pour son propre bien-être, mais aussi pour redonner espoir à ses futurs jeunes patients qui souffraient comme elle d'une maladie qui avait jusqu'à présent résisté à tous les traitements médicaux.

« Si cela fonctionne », dit-elle, « j'aurais aimé, si cela ne vous dérange pas, apprendre la technique et l'utiliser en dernier recours pour soigner les enfants asthmatiques qui sont sous mes soins. »

Cela ne me dérangeait pas du tout, au contraire, je suis toujours heureuse de voir quelqu'un, surtout s'il est issu du corps médical ou psychiatrique, avoir la curiosité, la créativité et la flexibilité nécessaires pour s'intéresser à ce qui fonctionne, pourvu que ce soit sans danger, même si cela transgresse les préceptes de la science et de la logique traditionnelles. Comme je le disais à Judith, je suis loin d'être avare de mes informations. Tout ce que je sais, vous pouvez le savoir, et cela me fait le plus grand plaisir de vous l'apprendre.

Son ouverture d'esprit faisait de Judith un excellent sujet et elle tomba sous hypnose en moins de deux. Elle se retrouva au Pérou, sous les traits d'un petit garçon désespérément pauvre, obligé de mendier de la nourriture et des sous sur le parvis d'une église. Sa mère, la seule famille qui lui restait, s'absentait pendant de longues périodes de temps avec des hommes qui, croyait-elle, pourraient éventuellement s'occuper d'eux, mais qui finissaient toujours par les laisser tomber. Vers l'âge de treize ans, il contracta la tuberculose, étant constamment exposé aux bacilles de la maladie. Sans traitement adéquat, la maladie le rendit rapidement faible et fragile. Finalement, sa mère dénicha du travail chez une famille habitant dans une autre ville, mais tandis qu'ils traversaient les montagnes pour s'y rendre, l'air devint trop rare pour lui et ce qui devait arriver arriva. Il mourut, reconnaissant d'être enfin libéré de cette vie misérable et solitaire, et sa mère l'enterra là-haut, sur les hauts plateaux.

Dans la seconde vie qu'elle revisita, elle était une adolescente vivant en Allemagne. Elle vivait seule avec sa mère, personnage égoïste, violent et narcissique, qui exigeait de Judith tout son temps et son attention. Ils avaient reçu beaucoup d'argent d'un héritage, ce qui ne faisait qu'ajouter à l'impression de Judith d'être prisonnière – n'ayant pas besoin de travailler, elle n'avait pas non plus de raison de partir pour développer un semblant de vie autonome. Elle détestait sa mère et se sentait « étouffée » (selon son expression) par elle, mais elle en avait néanmoins pitié et savait qu'elle ne pourrait vivre avec la culpabilité si elle décidait d'abandonner cette femme cruelle à son isolement volontaire. Une nuit, une terrible dispute éclata entre les deux femmes, et Judith la menaça de partir. Prise d'une rage suicidaire et meurtrière, sa mère, vindicative et désespérée, « craqua » et mit le feu à la maison après avoir fermé à clé la porte de la chambre de Judith pendant son sommeil. Avant qu'on puisse éteindre l'incendie, la mère de Judith mourut brûlée vive et Judith étouffée par la fumée.

Habituellement, je n'aime pas les généralisations, mais j'ai remarqué que bon nombre de mes clients souffrant d'asthme ou de problèmes respiratoires ont gardé dans leur mémoire cellulaire le souvenir de relations difficiles avec leur mère. Ils ont souvent le sentiment d'avoir été négligés, abandonnés ou « étouffés » par celle-ci. À l'évidence, Judith ne faisait pas exception à la règle, et ce n'était pas non plus une coïncidence si ses crises d'asthme ont débuté après la naissance de son fils, lorsqu'elle est elle-même devenue mère. Elle m'avoua que la naissance de son enfant avait provoqué chez elle des sentiments contradictoires. Elle aimait son enfant de tout son cœur, mais d'un autre côté, elle avait peur et éprouvait – à sa grande honte— un peu de ressentiment vis-à-vis des énormes responsabilités qui incombaient à une mère. Dans les vies passées de Judith, le mot « mère » avait toujours eu un accent négatif, sans compter que les deux mères dont elle se souvenait étaient intiment liées à ses problèmes respiratoires.

Évidemment, seul le temps nous dirait si la régression avait eu des effets à long terme sur l'asthme de Judith, mais je m'attendais, d'ici deux à trois mois, à des résultats spectaculaires, surtout en raison de son ouverture d'esprit. En fait, elle me téléphona un mois plus tard pour m'apprendre que son asthme avait disparu et qu'elle pouvait respirer librement pour la première fois depuis vingt ans. Elle hésitait encore à jeter son inhalateur et ses médicaments, mais elle les avait placés, au cours d'une petite cérémonie, sur la plus haute étagère d'un placard vide et elle n'y avait plus repensé depuis trois semaines – elle qui n'espérait même pas pouvoir s'en passer pendant trois jours.

Croyez-moi, j'étais heureuse pour elle. Mais je dois l'admettre, j'étais encore plus heureuse d'apprendre que Judith étudiait pour devenir hypnothérapeute, en plus de suivre des cours complémentaires en pédiatrie, et d'inclure les régressions dans les vies passées dans son arsenal thérapeutique pour lutter contre les maladies infantiles qui ne répondent pas aux traitements conventionnels. « Je suis la preuve vivante que cela fonctionne », m'écrivait-elle dans sa lettre. « Quel genre de médecin serais-je si, sachant que cela fonctionne, je refusais de m'en servir parce que cela semble bizarre ? »

Voilà une question que tous les médecins devraient se poser, non ?

BO

• SCLÉROSE EN PLAQUES

Si vous me connaissez le moindrement, vous savez que Montel William est l'un de mes amis les plus chers et les plus intimes, et que je l'aime autant aujourd'hui qu'au cours de nos vies passées ensemble. En l'an 2000, il annonça au monde entier qu'il souffrait de sclérose en plaques. Alors quand je dis que rien ne me ferait davantage plaisir que de trouver une cure contre la sclérose en plaques, je le pense vraiment et je n'exagère pas. Mais d'ici à ce que je trouve une solution, si jamais j'en trouve une, les personnes qui souffrent de cette maladie occuperont toujours une place spéciale dans mon cœur.

Je fis la connaissance de Bo, un séduisant propriétaire de ranch du Texas, doté d'un accent charmant et d'un sourire timide et asymétrique. Il m'avait été référé par son médecin pour voir si je ne pourrais pas le soulager de ses douleurs dues à la sclérose en plaques, maladie qu'on avait diagnostiquée chez lui trois ans plus tôt. Évidemment, je sautai sur l'occasion. Bo avait amassé une véritable fortune grâce à son travail acharné et des investissements judicieux, après une enfance marquée par la pauvreté et les abus physiques. Ce vétéran de l'armée, au dossier militaire fort reluisant, avait survécu à une tentative d'assassinat perpétrée par son ex-femme et son jeune gigolo, donné un rein à son fils aîné et sauvé son ranch des catastrophes naturelles, des revers du marché et d'un comptable peu scrupuleux. Mais jamais au cours de sa vie, il n'avait senti sa vie aussi menacée qu'au moment où le médecin prononça ces paroles : « Bo, vous souffrez de sclérose en plaques. » Bo avait décidé de faire face à la maladie comme à toutes les autres difficultés qui s'étaient dressées sur son chemin depuis quarante-six ans, c'est-à-dire, de front et sans demi-mesure, car, me dit-il, il avait passé un accord avec Dieu : « Je crois en Dieu et Dieu croit en moi. S'Il place un obstacle sur ma route et que je ne me défends pas, alors je ne respecte pas mon engagement. »

Bo suivait les recommandations de son médecin à la lettre, parcourait le pays à la recherche de traitements alternatifs, faisait partie d'un groupe de soutien venant en aide aux personnes aux prises avec la sclérose en plaques, et soutenait financièrement, mais de manière anonyme, les familles les plus durement atteintes par la maladie. Dire qu'il se débattait comme un diable dans l'eau bénite était un euphémisme, et plus je discutais avec lui, plus je l'admirais. Il était également devenu un grand admirateur de Montel depuis qu'il avait appris qu'ils luttaient contre le même ennemi insidieux. Après m'avoir vue à l'émission de Montel, il réalisa, même si les médiums lui inspiraient des sentiments ambivalents, que nous partagions la même foi inébranlable en Dieu et que je n'oserais jamais lui mentir.

« Vous aimeriez être riche à craquer ? » me demanda-t-il.

« Qui ne le voudrait pas ? » répondis-je. « Mais pourquoi me demandez-vous cela ?

— Guérissez-moi et je vous donnerai toute ma fortune. »

Je mis ma main sur son épaule : « Bo, si je vous guéris – et je le dis du fond du cœur – je le ferai gratuitement. Mais on trouvera une cure d'ici quelques années, je peux vous le promettre. »

Il se mit à m'étudier, cherchant des indices qui pourraient lui laisser croire que je le traitais avec condescendance ou lui faisais miroiter de faux espoirs. Puis, voyant que je parlais sérieusement, il esquissa un sourire. Après une minute de silence, il s'éclaircit la voix et dit : « Vous voulez me faire faire une régression. C'est donc que vous croyez aux vies passées.

— Absolument.

— D'accord, alors laissez-moi vous poser une question. Admettons que la réincarnation, le karma et tous ces trucs sont bien réels, est-ce que cela signifie que j'ai fait quelque chose d'horrible dans une vie passée et que j'en paye aujourd'hui le prix ?

— Je pourrais vous en parler pendant des heures », lui dis-je. « Mais pour faire une histoire courte, la réponse est *certainement pas*. Avant chacune de nos vies sur terre, nous élaborons un plan de vie, comprenant tous les obstacles que nous allons rencontrer afin d'accomplir les buts que nous nous sommes fixés. »

Ma réponse le laissa incrédule : « Êtes-vous en train de me dire que j'ai choisi d'avoir la sclérose en plaques ?

— C'est exactement ce que je dis, et même si vous avez du mal à y croire présentement, un jour viendra où vous comprendrez pourquoi vous avez fait ce choix. Entre-temps, je voudrais que vous vous rappeliez ceci : seuls les plus braves, les plus extraordinaires esprits ont le courage de se donner des défis comme les vôtres. Pensez-vous qu'un petit esprit mou et faiblard pourrait supporter ce qui vous arrive ?

— Non, je ne le crois pas », dit-il, fermement convaincu. « Vous voyez ? Nous n'avons même pas encore commencé et je me sens déjà mieux. Alors, comment cela fonctionne-t-il ? Est-ce que je dois vous dire où je souffre le plus ?

— Ne me dites rien, Bo. Moins j'en saurai, plus vous serez sûr que je ne vous ai pas guidé ou manipulé ou fait dire des choses que vous ne pensiez pas. Je ne vais pas vous donner les réponses, c'est vous qui allez me les donner. Pour l'heure, tout ce que vous avez à faire est de vous installer confortablement. »

Je débutai la séance par une longue et profonde méditation ; les muscles de sa mâchoire se détendirent progressivement, et tandis qu'il tombait sous hypnose, je remarquai qu'il avait l'air parfaitement serein. Je prononçai une prière pour que ses cellules se rappellent cette sérénité afin qu'il puisse la ressentir chaque fois qu'il en aurait besoin, puis je le guidai vers son passé.

Il se retrouva en Toscane, en Italie. Nous étions en 1041, Bo était un jeune adolescent de quatorze ans ayant un frère jumeau aveugle appelé Garon. Ils étaient les aînés d'une famille de douze enfants. Leurs parents étaient des gens travailleurs et entièrement dévoués à leur famille. Le dimanche, les grands-parents, les tantes, les oncles et les cousins venaient de partout pour célébrer un grand festin où tout le monde s'en donnait à cœur joie. En fait, il y avait là assez d'amour, d'affection et de loyauté pour les soutenir durant toute la semaine. Même si Bo aimait tous les membres de sa joyeuse et généreuse famille, il n'aimait personne autant que son frère jumeau : ce double de lui-même, silencieux et courageux, qui ne se plaignait jamais de sa cécité et qui savait deviner ses pensées et ses sentiments avant même qu'il ne les ait exprimés. Bo avait un talent particulier pour l'horticulture et passait des jours heureux dans les champs et les vergers de sa famille où il avait parfois l'impression de sentir les récoltes s'épanouir sous ses doigts. Garon travaillait à ses côtés, toujours prêt à apprendre et à aider. Les deux frères partageaient tous leurs secrets, leurs petites histoires et leurs rêves, au point où ils se demandaient parfois qui était qui. Tous les matins, avant l'aube, Bo et Garon chargeaient sur un grand chariot leurs meilleures récoltes, les meilleures du pays à ce qu'on disait, et allaient rejoindre leur père en ville, au marché en plein air où celui-ci travaillait. Leur père était fier du talent de Bo, fier d'offrir les meilleurs produits sur le marché, et fier de la contribution de ses deux fils à la sécurité financière de la famille.

Mais par un froid matin, alors que Bo et Garon, qui venaient tout juste d'arriver en ville, déchargeaient le contenu de leur chariot dans une petite rue étroite, une énorme charrette remplie de grains brisa la clef en croix qui la retenait et se mit à dévaler cette même rue où se trouvaient Bo et Garon. Confondu par les cris et incapable de voir la charrette qui fonçait droit sur lui, Garon demeura figé au milieu de la rue, jusqu'à ce que Bo s'élance à la dernière seconde pour pousser son frère bien-aimé hors du chemin. Garon était sain et sauf, mais Bo n'eut pas le temps de s'écarter. La charrette avec ses lourdes roues de bois lui broya la poitrine et les jambes. Garon et le père de Bo se précipitèrent à son chevet et le serrèrent dans leurs bras en pleurant. Avant de mourir, Bo entendit son frère lui demander ce qui s'était passé et le supplier de ne pas les quitter ainsi.

Beaucoup plus tard, après la régression, alors que nous discutions, Bo et moi, de cette vie passée qui l'avait visiblement ému, il me demanda : « Est-ce que je peux vous dire à présent où j'ai mal depuis six ou huit mois ? »

Je le savais déjà, mais je voulais l'entendre dire afin de m'assurer qu'il avait vraiment fait le lien. « Je vous écoute, lui répondis-je.

— À travers l'estomac, dans le haut de l'abdomen, et dans les jambes, au-dessus des genoux. Exactement là où les roues de la charrette sont passées. Je suis peut-être un profane en matière de régression, mais j'ai vu ce qui est arrivé, comme si j'y étais, et ce n'est pas une coïncidence, ça, j'en suis sûr. »

Je lui expliquai le fonctionnement de la mémoire cellulaire et nous priâmes pour que ses cellules soient libérées de cette horrible douleur qu'elles retenaient depuis près de mille ans. Puis il demeura silencieux pendant un long moment, comme si quelque chose le préoccupait. Finalement, je lui demandai ce qui le tracassait.

« Vous voulez savoir à quel point cette expérience a été réelle pour moi ? Eh bien, je me demandais ce qui était arrivé au pauvre Garon après ma mort ? J'espère qu'il s'en est sorti.

— C'est à vous de me le dire », lui dis-je, en tâchant de réprimer un sourire. « Vous est-il familier ? Vous rappelle-t-il quelqu'un de votre entourage ? »

Il réfléchit à la question, puis dit : « À présent que vous le mentionnez, même s'ils ne se ressemblent pas, il me rappelle beaucoup mon fils aîné, Wayne.

— Votre fils aîné dans cette vie ? Celui à qui vous avez donné un rein ? » Bo acquiesça et je lui expliquai qu'ils avaient déjà vécu ensemble à trois reprises. Leur première vie commune s'était déroulée en Italie. Dans la seconde, ils avaient été les meilleurs amis du monde et partenaires d'affaire en Alaska, et dans la troisième, au Maroc, ils avaient été deux inséparables cousines. Au cours de chacune de ces vies, ils avaient toujours été très liés, mais c'était toujours Bo qui s'occupait de Wayne, et depuis leur vie en Toscane, Bo essayait de consoler Garon/Wayne pour l'avoir quitté si jeune et si soudainement, alors que Garon/Wayne essayait de remercier Bo pour lui avoir sauvé la vie.

« Vous ne pouvez pas savoir à quel point cela éclaire ma relation avec Wayne », dit-il en souriant. « En fait, il était avec moi lorsque le médecin m'a appris que j'avais la sclérose en plaques et j'ai remarqué qu'il était plus affecté que je ne l'étais moi-même. Il m'a même dit qu'il aurait préféré que cela lui arrive à lui plutôt qu'à moi. Je lui ai répondu que je ne voulais plus jamais l'entendre dire une chose pareille, mais je suppose que si vous avez raison à son sujet, il doit en avoir assez de me survivre. J'imagine déjà son expression lorsque je vais lui expliquer que je suis allé voir une médium et qu'elle m'a appris que nous en étions à notre quatrième vie ensemble. J'ai bien peur qu'il n'appelle aussitôt une ambulance, mais cette fois, c'est à l'asile qu'ils vont m'amener. »

Nous avons ri de bon cœur, puis j'ajoutai : « Alors ne lui dites pas, mais si vous croyez que cela pourrait vous aider tous les deux à surmonter cette épreuve, téléphonez-lui. Si non, téléphonez-lui quand même. Tenez-moi au courant de votre état de santé. Si vous ne me rappelez pas, je préfère vous en avertir tout de suite, c'est moi qui vais vous appeler. »

Bo et moi sommes toujours en contact. Il lutte vaillamment contre la sclérose en plaques, soutient les gens aux prises avec la même maladie, et récite tous les jours une prière afin que Dieu les libère de tous leurs souvenirs cellulaires négatifs par la blanche lumière de l'Esprit Saint. Sa douleur n'est plus localisée au niveau de l'estomac, de l'abdomen et des jambes, et il ne se passe pas un jour sans qu'il prenne conscience du spectaculaire changement qui s'est opéré en lui. En fait, Bo ne craint plus ni la maladie ni la mort depuis qu'il a passé une heure en Italie avec son frère jumeau Garon, aujourd'hui son fils Wayne.

Pour ce qui est de Wayne, Bo l'amena avec lui à une conférence que je donnai au Texas l'an passé. Durant la méditation, Wayne crut apercevoir un marché en plein air, beaucoup de fruits et de légumes sur un chariot, et un frère qui lui rappelait étrangement son père. Pour reprendre l'expression de Bo lorsqu'il me téléphona pour me raconter leur expérience : qu'est-ce que vous dites de cela ?

JULIET

• ANOREXIE

Tout comme j'aimerais être capable de guérir les gens atteints de sclérose en plaques, j'aimerais bien posséder un remède infaillible contre l'anorexie. Cette maladie complexe, déchirante, et parfois fatale, est aussi difficile à comprendre qu'à surmonter, sans compter qu'on n'est jamais sûr d'en trouver les causes, même en fouillant dans la mémoire cellulaire. Mais Dieu merci, Juliet avait la volonté de s'en sortir et était prête à s'exposer pour le faire.

Juliet avait vingt et un ans et souffrait d'anorexie depuis son entrée dans l'une des plus prestigieuses universités américaines. Mesurant un mètre soixante-deux, elle était maigre à faire peur avec ses quarante et un kilos. Sa peau était grise, ses longs cheveux noirs avaient l'air aussi sous-alimentés qu'elle, et ses yeux étaient creux et sans vie. Le psychiatre qui me la référa me décrivit ses trois années de traitement avec elle comme étant le plus cuisant échec de sa carrière. « Je n'abandonne pas l'idée de la guérir en l'envoyant chez vous », me dit-il. « Je n'abandonnerai pas avant qu'elle ait rendu son dernier souffle, en espérant qu'elle sera alors vieille et entourée de ses petits-enfants. On se connaît depuis vingt ans. Vous savez que je n'aime pas perdre. Mais c'est ce qui arrivera si je joue mal ma dernière carte, et après avoir passé des heures dans les dossiers de mes clients, j'en suis venu à la conclusion que ma dernière carte, c'était vous. J'espère que je ne vous offense pas en vous appelant ma dernière carte ?

— Après avoir été traitée de tous les noms ? Vous voulez rire. Faites-la venir le plus tôt possible, j'en fais une priorité. »

En plus de souffrir d'anorexie, Juliet devait lutter contre un problème de dysenterie chronique. Elle avait passé « plus ou moins un millier » de tests du côlon et de l'intestin grêle, et chaque fois les résultats n'avaient révélé rien d'anormal. « Je suis tellement "normale" », me dit-elle, en pleurant, « que j'ai dû abandonner mes études. Je suis tellement "normale" que j'ai à peine la force de sortir de mon lit le matin. Je suis tellement "normale" que ma famille éclate en sanglots lorsqu'elle me regarde. Si je deviens encore un peu plus normale, je vais en mourir. »

Elle ne s'apitoyait pas sur son sort, elle exposait les faits, et devant ces faits, je compris que la mort lui apparaissait de plus en plus comme la seule solution à ses problèmes. Mais peut-être que si j'arrivais à découvrir pourquoi une jolie jeune femme, douée et privilégiée, promise à un brillant avenir et soutenue par une famille aimante, préférait mourir de faim plutôt que de continuer à vivre, peut-être qu'elle sortirait de mon bureau avec un brin d'espoir.

Heureusement, même si le corps de Juliet était gravement malade, son esprit était sain, débordant de vie et impatient de se faire entendre. D'ailleurs, dès le début de la régression, sa voix changea et devint vibrante, forte et sûre d'elle-même, tout le contraire de la voix monocorde et timide que je lui connaissais.

Dans la première vie qu'elle revisita, elle était un jeune Indien vivant dans le nord-est du Pacifique. Connaissant comme le fond de sa poche tous les recoins des denses forêts avoisinantes, elle était capable de survivre seule dans la forêt pendant des semaines, loin de sa tribu, lorsqu'elle partait à la recherche de précieuses fourrures. Sur son chemin, chaque arbre et chaque plante devenaient une source de nourriture et d'huiles curatives, chaque branche morte et chaque tas de feuilles avaient une histoire à raconter qu'elle déchiffrait aussi facilement qu'un abécédaire. Le ciel lui servait de guide et de montre, et chaque brise lui apportait les odeurs des choses qui l'entouraient. Même dans le silence de la nuit, la terre semblait lui chuchoter à l'oreille des secrets qu'elle était la seule à pouvoir entendre. Avec des réflexes aussi aiguisés que ceux des bêtes pour qui elle avait un très grand respect, elle sentait l'Esprit Divin dans la terre, le ciel et les animaux qui faisaient de cet ensemble un chez-soi qu'elle considérait comme sacré.

Lors de chaque nouvelle lune, elle retournait dans le petit village de sa tribu avec des peaux et de la nourriture. Elle avait un grand respect pour sa famille et les anciens de la tribu et se sentait privilégiée de pouvoir contribuer aussi largement à leur bien-être. Mais au bout de quelques heures, après la célébration du repas traditionnel pour remercier l'Esprit Divin d'avoir permis son retour et pour la générosité de Sa création, elle se sentait invariablement accablée et devenait claustrophobe au milieu de tous ces gens et de leurs bruyantes espérances, même s'ils étaient bien intentionnés. Elle s'éclipsait donc en douceur dans sa forêt bien-aimée, là où elle se sentait vraiment chez elle.

Elle était encore jeune, au début de la vingtaine selon elle, et retournait au village avec des provisions lorsqu'une violente fièvre se déclara. Elle était à peine consciente lorsqu'on la découvrit et la ramena chez sa mère et sa grand-mère. Les deux femmes s'occupèrent d'elle avec l'aide du shaman et lui apportèrent des bouillons et des élixirs, mais son estomac ne gardait aucun aliment. Tout le village se rassembla autour d'elle pour lui offrir des chants et des prières pour sa guérison, mais elle devenait de plus en plus faible.

« Ils font trop de bruit », me dit-elle. « Ils s'agitent trop et ils font trop de bruit. Je n'entends plus.

— Qu'est-ce que tu n'entends plus, Juliet ?

— La terre », dit-elle.

Elle agonisa pendant six longs jours avant que son esprit ne soit « libéré et reçu dans la paix de Dieu. » Elle était heureuse, presque euphorique à l'idée de partir, et elle se rappelait qu'au cours de ces six jours, son esprit avait entrepris plusieurs voyages astraux dans les profondeurs de sa forêt bien-aimée pour lui dire un dernier au revoir.

Juliet revisita deux autres vies durant sa régression, mais elles étaient moins riches en détails. Dans la première, elle avait passé trente ans dans une cellule d'isolement pour trahison et était morte d'un péritonite aiguë, une infection abdominale, deux mois après sa sortie de prison. Dans la seconde, elle avait été kidnappée dans la cour de récréation de son école au début des années 1900, vendue à un proxénète de Miami à l'âge de douze ans et battue à mort par ses ravisseurs à quinze ans après qu'elle eut tenté de s'enfuir.

D'une vie à l'autre, y compris dans sa vie actuelle, Juliet avait du mal à gérer les problèmes relatifs au *thème de sa vie*. Avant chaque incarnation, nous rédigeons un plan détaillé des vies que nous allons mener sur terre, un peu comme une carte routière qui nous permettrait d'identifier les objectifs que nous nous sommes fixés. Nous choisissons également un thème parmi les quarante-quatre thèmes de vie disponibles. Le thème est ce qui définit notre essence et notre principale motivation dans cette vie. Ces quarante-quatre thèmes et leur description sont présentés dans mes livres *The Other Side and Back* et *Life on the Other Side*, mais pour l'instant, nous allons nous concentrer sur le thème qu'avait choisi Juliet : la solitude. Les personnes qui ont choisi la solitude pour thème de leur vie ne vivent pas forcément comme des reclus. Ils sont souvent sociables, extravertis et impliqués dans leur communauté, mais ils ne se sentent vraiment bien que dans la solitude, où ils sont libres de faire leurs propres choix et de contrôler, en partie, leur environnement. Les solitaires se sentent particulièrement seuls lorsqu'ils sont entourés de gens, surtout lorsque ces gens sont des étrangers ou de simples connaissances avec qui ils ne sont pas intimes. Alors que le groupe est pour d'autres le lieu où ils se sentent en sûreté, supportés émotionnellement et stimulés intellectuellement, les solitaires n'y trouvent qu'irritation, confusion et invasion du petit espace privé dont ils ont absolument besoin. En bout de ligne, les solitaires ont besoin, comme ils ont besoin d'oxygène pour respirer, d'avoir toujours une option qui leur permettra de reprendre le contrôle sur ce qui les entoure, même si ce n'est que pour une courte période de temps. Cet espace privé leur permet de recharger leurs batteries, de refaire le plein d'énergie et de jouir du luxe de pouvoir faire leurs propres choix, sans que personne ne s'en mêle, sans faire de compromis ou sans être interrompus, jusqu'à ce qu'ils se sentent prêts de nouveau à affronter le monde.

Dans chacune de ses vies, Juliet était passée d'un environnement paisible lui offrant un semblant d'intimité à un environnement où les gens étaient nombreux et représentaient pour elle une menace bruyante, envahissante et troublante. De plus, sa mémoire cellulaire lui envoyait le message que la solitude était sûre, alors que le fait d'être entouré de gens était synonyme de mort. Dans cette vie-ci, Juliet avait quitté la maison de ses parents, où sa famille, même si elle ne se préoccupait pas tellement de son intimité, respectait ce besoin et tâchait d'y répondre de son mieux, pour se retrouver dans une grande université, prestigieuse et animée, prête à satisfaire les besoins intellectuels et l'ambition de ses étudiants, mais mal adaptée pour faire face aux besoins émotionnels de chacun. En autant que la mémoire cellulaire de Juliet était concernée, ces dortoirs et ces compagnons de chambre, ces classes bondées et ces repas pris en commun, ces fêtes d'étudiants et ces activités incessantes ne différaient en rien de son village indien, de la relative « liberté » qu'elle avait trouvée en sortant de prison après trente ans d'isolement, et du contrôle total et brutal de ses kidnappeurs. Elle se sentait menacée et cernée de toutes parts, exactement comme dans ses autres vies. Son corps, ayant reçu le signal des cellules détenant l'information, réagissait à ce qu'il considérait comme étant un processus inévitable et se préparait à mourir. Après trois morts impliquant une attaque contre son estomac et son abdomen, quoi de plus naturel, dans son cas, que de mourir de dysenterie et de faim ? Ayant choisi pour thème la solitude, et étant convaincue que l'intimité est une « nourriture » émotionnelle essentielle, pourquoi un manque permanent d'intimité ne se manifesterait-il pas sous la forme d'une privation de nourriture physique ? Et si au cœur du thème de la solitude se cache le désir de contrôler notre environnement immédiat, n'était-il pas prévisible que Juliet se tournerait vers la seule chose qu'elle pouvait vraiment contrôler, à savoir, la quantité de nourriture ingérée ou non ? Ironiquement, plus les gens se préoccupaient de son anorexie, plus sa situation s'aggravait. Si elle avait précédemment l'impression d'être encerclée par tous ces gens, ce n'était rien comparé à la marée humaine qui l'entourait aujourd'hui et qui voulait la faire manger, lui faire rencontrer un médecin, l'analyser, la faire parler sur les véritables causes de cet affreux problème, lui donner des conseils, et ainsi de suite, et tout cela par amour, même si en fin de compte, cela ne faisait que renforcer son désir d'évasion.

Je tiens à souligner ce point à nouveau : je ne suis pas en train de dire que tous les cas d'anorexie sont reliés au thème de la solitude ou encore qu'ils peuvent être soignés grâce à une régression dans les vies passées. Mais dans le cas de Juliet, Dieu merci, cela a fonctionné. La première étape consista pour elle à prendre conscience et à se libérer de toutes les informations négatives qui lui venaient de sa mémoire cellulaire. Puis, elle dut s'adapter au thème de la solitude afin d'en tirer le meilleur parti, plutôt que de lutter inutilement contre celui-ci et se punir en cas d'échec. Ainsi, dès son retour à l'université, elle quitta son dortoir et loua un petit studio près du campus, fortement déconseillé aux gens souffrant de claustrophobie, mais parfait pour elle : il n'y avait tout simplement pas de place pour personne d'autre. Elle refusa poliment les invitations des clubs d'étudiants en leur disant simplement : « Non merci, ce n'est pas pour moi. » Elle fit un tri parmi ses activités parascolaires et élimina celles où il y avait des foules, du bruit et une fonction sociale à remplir, et se tourna plutôt vers des activités relativement solitaires, comme les programmes d'aide aux enfants des quartiers défavorisés, les lignes d'écoute téléphonique pour les femmes battues, et éventuellement le golf. Finalement, elle approcha son professeur préféré et se porta volontaire pour un projet de recherche en laboratoire, un domaine qu'elle adorait et où elle excellait. Mais cette transformation n'avait rien de magique. En faisant comprendre à ses cellules grâce à la méditation qu'elle avait l'intention de vivre, et non de mourir, elle avait repris graduellement l'habitude de manger. Au bout d'un mois, elle mangeait trois repas par jour, et au bout de trois mois, elle avait engraissé de cinq kilos et sa dysenterie avait complètement disparu.

Six années se sont écoulées depuis ma régression avec Juliet. Elle est toujours svelte, même si elle pèse quinze kilos de plus qu'au moment de notre première rencontre, et grâce à ses aptitudes intellectuelles et à sa grande concentration qui lui permettent de travailler et d'exceller pendant de longues heures d'affilée, Juliet est devenue médecin légiste et mène une vie heureuse et saine.

Pour ce qui est du psychiatre qui me l'avait référée, j'ai toujours tenu promesse en taisant sa véritable identité, surtout après qu'il m'eut téléphoné pour me féliciter de la spectaculaire guérison de Juliet et demandé, tout penaud, si je voulais bien procéder à une régression avec lui. Sa régression lui permit de se débarrasser du psoriasis chronique qui s'était développé sur son pied et sa cheville gauche, et qui lui venait, comme nous devions le découvrir, d'une brûlure survenue lors d'un incendie en 1507 en Bulgarie. À l'époque, la brûlure s'était infectée et l'infection l'avait tué.

À la suite de cette expérience, je me suis engagée à enseigner les techniques d'hypnose régressive à ce psychiatre et au dermatologue qui avait traité pendant deux ans son psoriasis, avant de le déclarer incurable. Comme ils me l'écrivaient récemment dans une lettre conjointe : « Nous croyons que si les traitements par régression devenaient populaires, soit nous ferions faillite, soit nous quadruplerions notre clientèle. Nous préférons évidemment cette dernière possibilité. »

RICH

• GRAVE DOULEUR AU COU
• MAL DES TRANSPORTS

Le cas de Rich est un autre exemple qui démontre bien que, loin de guider mes clients durant une séance d'hypnose, je ne fais, au contraire, que les accompagner peu importe où ils décident de m'amener. J'aide mes clients à franchir le seuil de leur passé, je donne une certaine cohérence à leurs régressions, je les protège des souffrances émotionnelles tandis qu'ils sont sous hypnose, et je les aide à analyser leur expérience et à se libérer de la douleur qu'ils ont croisée lorsque la régression est terminée, mais pour le reste, ce voyage est le leur, pas le mien, et je suis souvent aussi étonnée qu'eux de voir où il les amène.

Rich avait trente-deux ans et gagnait sa vie comme batteur professionnel travaillant à la pige pour des studios d'enregistrement et divers groupes musicaux. Contrairement au cliché du musicien itinérant, bohème, aux cheveux longs et fumeur de marijuana, Rich était un père de famille soigné de sa personne, articulé, sobre et bien habillé, propriétaire d'une maison et d'une Volvo, marié et père de deux enfants qu'il adorait. Rich et sa femme attendaient d'ailleurs leur troisième enfant dont Rich construisait lui-même la future chambre. Il avait commencé à ressentir fréquemment des douleurs atroces dans le cou à l'âge de vingt-cinq ans, alors qu'il arbitrait une partie de balle molle pour un groupe d'amis et leurs enfants. Il n'y avait pas de cause évidente, ni traumatisme, ni collision avec un coureur, pas même un faux mouvement ou geste brusque dont il aurait été conscient. « Cela m'a frappé venu de nulle part », me dit-il. « Un peu comme si j'avais reçu un coup de marteau sur la nuque. » On lui fit passer des radiographies et des tests de résonance magnétique ; il consulta des chiropraticiens, des thérapeutes sportifs et des acupuncteurs ; il reçut des injections de cortisone ; on lui prescrivit tous les remèdes inimaginables (anti-inflammatoires, relaxants musculaires, compresses chaudes, compresses froides, ultrasons, etc.), et autant qu'il était concerné, sept ans plus tard, la douleur n'avait fait qu'empirer. À présent, en plus d'avoir une douleur aiguë dans le cou, son assurance santé lui coûtait encore plus cher en raison de toutes ces visites chez le médecin.

« Je vous jure que je vivrais avec si j'avais le choix, mais cela me gêne de plus en plus dans mon travail. Essayez de jouer de la batterie lorsque vous ne pouvez pas bouger la tête. Croyez-moi, cela fait des années que j'y suis contraint… » Il fit une pause et se mit à rire, puis ajouta : « Eh bien, il faut être un peu casse-cou ! De toute façon, je n'ai plus le temps de courir d'un médecin à l'autre, surtout qu'ils semblent incapables de m'aider. J'ai besoin d'aide, j'en ai besoin maintenant et rapidement.

— Très bien », dis-je en ricanant. « Je vois que vous ne voulez pas me mettre trop de pression sur les épaules ! Mais franchement, voilà le genre d'approche qui me plaît et je vous promets de faire de mon mieux. Mais par simple curiosité, pourquoi est-ce si urgent soudainement ?

— En fait, j'ai reçu une bonne et une mauvaise nouvelle à la fois », dit-il. « La bonne, c'est que j'ai signé un contrat de deux mois avec un orchestre pour jouer à bord d'un bateau de croisière. La mauvaise, c'est que j'ai signé un contrat de deux mois avec un orchestre pour jouer à bord d'un bateau de croisière. Deux mois de salaire assurés, c'est une vraie bénédiction dans mon milieu, et compte tenu que nous allons bientôt avoir un bébé, on pourrait croire à un miracle. Mais avec cette douleur, je n'ai pas la moindre chance de tenir le coup deux semaines, en jouant quatre heures tous les soirs. Alors imaginez deux mois… Et pour couronner le tout, j'ai le mal de mer comme personne…

— Étendez-vous », lui dis-je, plaisantant à moitié sur l'urgence de la situation. « Nous avons du travail à faire. »

Nous sommes retournés en 1716, à l'époque où Rich était un membre d'équipage à bord d'un navire pirate naviguant au large de l'Inde. Son chef était très cruel, non seulement avec ses victimes, mais aussi avec ses marins, qui étaient systématiquement battus, affamés et torturés à la moindre infraction, réelle ou imaginaire. La plupart des hommes à bord étaient eux-mêmes des renégats, prêts à tout endurer pour avoir leur part du butin et profiter de l'amoralité de la piraterie. Mais Rich et une poignée d'autres pirates décidèrent que la mort était préférable à ces conditions de vie inhumaines, si bien qu'au cours d'une nuit sans lune, ils se glissèrent sur le pont et sautèrent dans les eaux froides de l'océan, leur but étant de nager jusqu'à la rive et s'échapper. Mais ce qu'ils ne savaient pas, c'est qu'il y avait un traître parmi eux et qu'il avait transmis leur plan d'évasion à leur chef. Ils furent aussitôt appréhendés par les hommes demeurés fidèles à leur chef, qui les rejoignirent facilement à bord de petites embarcations. Les plus chanceux d'entre eux furent tués immédiatement au milieu de l'océan. Rich et deux ou trois autres marins furent capturés et ramenés à bord du vaisseau, où on leur banda les yeux avant de les jeter en prison. Rich n'aurait pu dire pendant combien de jours ou de semaines on l'avait torturé, mais il se rappelait avoir subi le supplice de la planche, reçu d'horribles coups et souffert de crampes d'estomac en raison de la faim qui le tenaillait constamment. Il était si faible qu'il était à peu près incapable de s'agripper à quoi que ce soit tandis que le navire était ballotté par une terrible tempête. Finalement, il leur fut reconnaissant lorsqu'ils se décidèrent à le jeter à la mer à demi-conscient pour qu'il se noie.

Je n'émets jamais de commentaires personnels durant une régression, mais j'étais vraiment impressionnée par le fait que Rich ait accepté cette offre d'emploi, en dépit de sa mémoire cellulaire. Je savais aussi qu'en se libérant de cette expérience, il n'éprouverait plus jamais le mal de mer.

Rich se retrouva ensuite dans un pub amical et familier, accoudé au bar avec de bons amis. Il y avait une fenêtre tout près d'où il pouvait apercevoir Buckingham Palace au loin. Il avait vingt-cinq ans, était célibataire et gagnait bien sa vie comme maréchal-ferrant. (Je dus consulter un dictionnaire après son départ. Un maréchal-ferrant, comme je l'appris, est un forgeron.) Il se rappelait vaguement que deux hommes étaient entrés dans le pub et que l'un d'eux le détestait parce qu'il lui avait fait perdre son emploi (il avait volé.) Comme Rich passait un moment agréable avec ses amis, il préféra ignorer les regards hostiles que lui lançait cet homme. Soudain, il ressentit un violent coup derrière la nuque, puis il s'effondra sur le sol. Il rouvrit les yeux juste assez longtemps pour apercevoir au-dessus de lui l'homme muni d'une épaisse barre de fer. Il mourut deux jours plus tard d'un œdème au cerveau.

Je pris en note les faits suivants : « mort à la suite d'une blessure au cou à l'âge de vingt-cinq ans, violentes douleurs au cou ayant débuté à l'âge de vingt-cinq ans dans cette vie-ci. » Pas besoin d'être médium pour faire le lien entre ces deux événements. Je demandai alors à Rich de me décrire ce qu'il avait vu après sa mort. Il y eut un long silence, puis il se mit à me parler d'un banc de pierre près d'une chute d'eau cristalline dans un grand et magnifique jardin. Au loin, il y avait un immeuble en marbre blanc avec des colonnades, et ce qui ressemblait à l'entrée du jardin. Rich n'avait pas lu mon livre *Life on The Other Side*, alors il ne pouvait pas deviner qu'il me donnait une parfaite description des Jardins du Palais de Justice dans l'AU-DELÀ.

« Que faites-vous sur ce banc de pierre, Rich ? Qu'est-ce qui se passe autour de vous ?

— Je suis assis et j'attends. On m'a demandé de venir ici. Je vois à présent un homme qui s'avance vers moi. Il est jeune, il a à peu près mon âge, mais ses cheveux sont blancs et lui arrivent aux épaules. Il porte une sorte de long caftan de couleur dorée ou quelque chose du genre.

— Le connaissez-vous ?

— Il dit qu'il est mon Guide Spirituel. Il s'appelle Aaron. »

Je me redressai sur ma chaise. Je savais qu'Aaron était le nom du Guide Spirituel de Rich dans cette vie, mais je ne m'attendais pas à ce qu'il le rencontre dans son passé. Je lui demandai s'il savait quand avait eu lieu cette visite dans les Jardins.

« J'y suis présentement », me dit-il. « Tout cela se passe maintenant. »

J'étais fascinée. Apparemment, la régression de Rich s'était transformée en voyage astral, son esprit profitant de l'occasion pour quitter son corps et aller se balader dans l'AU-DELÀ. Je résistai à la tentation d'interrompre la séance en le lui signalant, puis je lui demandai : « Pourquoi vous a-t-il demandé de venir ? Le savez-vous ? Qu'est-ce qu'il vous dit ? »

Il demeura silencieux pendant une minute ou deux. Lorsqu'il recommença à parler, je remarquai qu'il avait l'air intrigué et presque amusé : « Il dit que je ne me suis pas souvenu de cet épisode dans le pub uniquement pour me débarrasser de mes douleurs au cou. C'est aussi un avertissement : je dois être sur mes gardes et prêter davantage attention à ce qui se passe derrière mon dos si je veux éviter qu'une telle chose se reproduise. »

Après que Rich fut sorti de son état de relaxation et que nous eûmes eu une bonne discussion avec ses cellules sur l'importance de se libérer de ces pénibles souvenirs afin qu'il puisse profiter de son emploi à bord du bateau de croisière, je lui expliquai qu'il était pour le moins inhabituel qu'un Guide Spirituel se manifeste ainsi au milieu d'une régression pour donner un conseil pratique.

« N'oubliez pas que votre Guide Spirituel peut lire le plan de vie que vous vous êtes donné pour cette vie », lui dis-je. « Par le passé, il m'est déjà arrivé d'ignorer les conseils de Francine, mon Guide Spirituel, souvent par simple entêtement, et chaque fois je l'ai regretté. »

Il était visiblement confus : « D'accord, disons que j'ai inclus dans mon plan de vie une nouvelle attaque par derrière. Mais si je l'ai incluse, comment savoir s'il ne vaut pas mieux laisser les choses se dérouler comme prévu ? Après tout, peut-être vais-je en découvrir les raisons plus tard ?

— Ou peut-être avez-vous planifié cette rencontre afin qu'on puisse vous avertir d'un danger et ainsi le prévenir ? »

Il acquiesça, et avant de partir, je lui fis promettre de rester en contact avec moi, car je voulais savoir comment se dérouleraient sa croisière et la naissance de son enfant, tout en lui promettant qu'il aurait un beau garçon robuste.

Quatre mois plus tard, je reçus une lettre écrite à la main. La croisière s'était merveilleusement bien déroulée et Rich n'avait pas eu le mal de mer une seule fois. Même ses douleurs au cou avaient disparu au bout de quelques jours et n'étaient jamais réapparues. Mais il était surtout impatient de me relater un « petit incident » qui s'était produit durant la croisière. L'orchestre de Rich se trouvait alors sur la scène de la principale salle de bal du navire. Ils étaient au milieu de leur prestation et le pianiste, qui remplissait également le rôle de chef d'orchestre, allait présenter la chanson suivante lorsque soudain, Rich entendit une série de craquements et de crépitements juste derrière lui. Il se tourna pour voir d'où venait le bruit et eut tout juste le temps d'éviter le rideau de velours de huit mètres de large et la lourde tringle de fer qui s'abattirent sur la scène, détruisant sa batterie et fissurant le plancher de teck. « J'ai eu plus de peur que de mal, même si cela m'a un peu secoué », m'écrivait-il. « Mais si j'avais des doutes quant à l'existence de mon Guide Spirituel, je peux vous assurer que je n'en ai plus. Si vous ne m'avez pas sauvé la vie, du moins vous m'avez certainement épargné une grave blessure au cou. »

Il avait joint à sa lettre la photographie de leur beau bébé joufflu de trois semaines. Ils l'appelèrent Israël.

NORA

• ASTHME
• MAUX DE DOS CHRONIQUES

Nora avait trente-cinq ans et était enceinte de deux mois. Sa précédente grossesse s'étant terminée par une fausse couche, elle était déterminée à faire tout ce qui était en son pouvoir pour demeurer forte et en santé afin de mener celle-ci à terme. Elle voulait se débarrasser de son asthme, maladie dont elle souffrait depuis l'adolescence, ainsi que des maux de dos chroniques qui lui empoisonnaient l'existence depuis qu'elle avait fait une légère chute à ski. Depuis cet accident, Nora détestait le ski et tout ce qui se rapportait à ce sport. Elle savait que ses maux de dos empireraient durant sa grossesse, mais selon son spécialiste, elle était en parfaite santé. Sa frustration avait atteint un nouveau sommet lors de son dernier rendez-vous lorsque son médecin lui assura que ses douleurs étaient « imaginaires. » Hors d'elle, elle lui annonça : « Je suis désolée de vous embêter avec un problème que vous n'arrivez pas à résoudre. Ce n'est pas bien grave, car la semaine prochaine, je rencontre une médium qui saura sûrement m'en délivrer. » Il lui rétorqua que si elle souhaitait donner tout son argent à une voyante à moitié folle, il n'y voyait pas d'inconvénient.

Croyez-moi, nous avons passé quatre-vingt-dix minutes ensemble, et je peux vous dire qu'elle en a eu pour son argent, et encore plus.

Elle trouva la réponse à ses problèmes d'asthme presque immédiatement en Angleterre, en l'an 1110. Elle avait alors quatorze ans et vivait terrée dans un coin d'une toute petite pièce souterraine, obscure et froide, où chaque respiration était laborieuse et lourde des odeurs de terre mouillée et de moisissures. Elle se cachait dans ce trou pour échapper à la justice de l'Église qui la ferait sûrement emprisonner ou exécuter si elle était découverte. Elle appartenait, semble-t-il, à une petite organisation secrète appelée les Esséniens, qui vénérait la Déesse Mère et étudiait la « sorcellerie », ou ce que nous appelons de nos jours, l'herbologie et l'aromathérapie. Une nuit, alors qu'ils étaient réunis pour adorer la Déesse Mère, les autorités effectuèrent un « raid », mais Nora parvint à s'échapper et s'enferma dans ce cellier qui la protégea du pouvoir ecclésiastique. Malheureusement, ses poumons se remplirent de spores de champignons et de moisissures et Nora développa toutes sortes de maladies débilitantes jusqu'à sa mort, qui survint quatre ans plus tard, des suites d'une grave pleurésie.

Le point d'entrée de Nora pour ses maux de dos se situait en France en 1822. À huit ans, Nora était un peu petite pour son âge, mais avait hérité de la beauté éthérée et de la gracilité de sa mère, une chanteuse fort célèbre. Gérard, le frère de Nora, avait cinq ans lorsqu'elle vint au monde. Cet enfant gâté et arrogant ressemblait beaucoup à son père, un homme grand, beau et musclé, propriétaire de plusieurs boîtes de nuit où se produisait sa mère. Avant la naissance de Nora, Gérard accompagnait ses parents tous les soirs dans ces boîtes de nuit, où il était traité aux petits soins et attendait d'un air majestueux, tandis que sa mère chantait dans des robes étincelantes et que son père déambulait entre les tables accueillant les hommes d'affaires flagorneurs comme un marionnettiste charismatique au milieu de son théâtre de marionnettes. Mais avec l'arrivée de Nora, ses parents jugèrent qu'il serait plus facile et moins astreignant d'engager une bonne d'enfants et de laisser les deux enfants à la maison, mettant ainsi fin aux sorties tant appréciées de Gérard, qui dut, à partir de là, partager avec sa sœur l'attention et l'affection de ceux-ci, lorsqu'ils passaient quelques heures à la maison. En autant que Gérard était concerné, sa vie était devenue misérable à cause de ce bébé inattendu et envahissant. Il se mit aussitôt à la détester, la considérant avec un froid mépris ou lui faisant mal sans que cela ne paraisse, pour ne pas être pris et puni.

Nora était suffisamment en santé et indépendante pour comprendre, dès son plus jeune âge, que son frère n'était pas quelqu'un de bien et que son ressentiment envers elle était son problème à lui, non le sien. Elle était déterminée à mener une vie heureuse et ce n'était pas son frère qui allait l'arrêter. Ils vécurent ensemble dans ce climat de guerre froide jusqu'au huitième anniversaire de Nora. Ce jour-là, on avait organisé pour elle une magnifique fête dans la cour, avec des poneys, des clowns, de la musique, des cadeaux et ses nombreux amis. Mais alors qu'elle descendait les marches du grand escalier en colimaçon pour aller rejoindre ses amis dans la cour, Gérard se précipita sur elle, bouillant de haine et de jalousie, et la poussa en bas des marches. Elle roula violemment jusqu'au pied du grand escalier de bois et s'effondra sur le plancher, le dos brisé, en proie à une douleur insoutenable. Elle vit Gérard tourner les talons et disparaître en haut de l'escalier, mais mourut avant l'arrivée des médecins.

On pouvait facilement se rendre compte qu'il n'y avait pas beaucoup de différence entre tomber en bas d'un escalier et dévaler une piste de ski glacée lorsqu'on s'y risque pour la première fois. Sa mémoire cellulaire n'y avait vu que du feu et avait signalé à son corps que la conséquence de cette action était une terrible douleur dans le dos, peu importe la gravité de la chute. Nora me confia plus tard qu'elle avait toujours eu peur des hauteurs, au point où ses mains devenaient moites lorsqu'elle empruntait un escalier roulant. Quelques années plus tôt, alors qu'ils étaient à la recherche d'une nouvelle maison, elle avait failli rendre son mari complètement fou parce qu'elle refusait même de considérer les maisons ayant plus d'un étage.

J'aidais Nora à revivre sa mort aux mains de Gérard lorsque soudain elle murmura : « Il faut que je rencontre mon enfant.

— L'enfant que vous avez perdu ?

— L'enfant que je porte présentement. Est-ce possible ? »

Je lui expliquai que je pouvais contacter n'importe quel esprit, mais qu'il n'était pas garanti que cet esprit en particulier se manifesterait. Le Guide Spirituel de Nora était un homme appelé Dominick. Je lui conseillai de choisir un lieu spécifique pour leur rencontre, de l'imaginer le plus clairement possible, puis de demander à Dominick d'inviter l'esprit de son enfant à cette rencontre. La suite dépendrait du bon vouloir de son enfant.

Nora me décrivit une passerelle enjambant un ruisseau cristallin au milieu d'une prairie infinie, dont la beauté était à couper le souffle. Au loin, elle pouvait apercevoir un imposant édifice en marbre blanc et un escalier de plusieurs kilomètres de haut, menant jusqu'à l'entrée de l'édifice. Je lui demandai si elle savait où elle était.

« Cet endroit me semble familier », répondit-elle. « Mais je n'arrive pas à mettre un nom dessus. »

Je ne voulais pas interrompre son expérience pour lui expliquer, mais elle se trouvait à l'entrée de l'AU-DELÀ, un endroit qu'elle avait déjà visité à plusieurs occasions. L'édifice en marbre blanc était l'époustouflant Palais de la Sagesse, premier arrêt pour tous les nouveaux venus.

Elle demeura seule un moment, puis une femme aux cheveux noirs se présenta. La femme avait un teint olivâtre, de grands yeux bruns, un visage angélique et une taille de guêpe.

« Qui est-elle ? » demandai-je.

Nora fronça les sourcils d'un air perplexe : « Elle dit qu'elle s'appelle Rachel et qu'elle est la fille que je porte.

— Vous la croyez ?

— J'aimerais y croire. Elle est très belle. Elle a le teint de mon mari et les yeux de ma mère. Je suppose que je ne m'attendais pas à rencontrer une adulte. »

Je lui souris et lui expliquai que tout le monde dans l'AU-DELÀ avait trente ans. Mais elle n'avait pas à me croire sur parole, ni Rachel d'ailleurs. Dans sept mois, lorsque son enfant viendrait au monde, elle saurait si cette expérience était réelle ou non. « Peu importe de qui il s'agit, elle a eu la gentillesse de venir vous voir », lui dis-je. « Vous devriez donc lui demander si elle a quelque chose à ajouter.

— Elle veut que je sache qu'elle est le même enfant que j'ai perdu précédemment, ce n'était pas le bon moment pour nous à cette époque, mais cette fois, tout ira bien. Ce sera notre quatrième vie ensemble. Nous avons déjà été deux fois amies, nous avons été frères, et la dernière fois elle était mon fils. » Elle fit une pause, puis ajouta : « Elle dit qu'elle est impatiente de me retrouver, qu'elle devait naître en novembre – ce qui était bien le cas – mais qu'elle viendra au monde trois semaines plus tôt que prévu. »

De son propre aveu, sa rencontre avec son enfant lui avait semblé tout à fait réelle et son scepticisme n'était motivé que par sa peur d'y croire. Peut-être avait-elle inventé tout cela pour se donner le courage de passer à travers sa prochaine grossesse ? Je dus la convaincre que je ne lui en voulais pas pour son scepticisme, étant moi-même des plus sceptiques. Mais en tant que médium, je pouvais lui assurer, à l'instar de Rachel, qu'elle mettrait au monde une belle petite fille en santé au mois d'octobre. Elle saurait alors si notre prédiction était exacte.

Nous n'eûmes pas à attendre longtemps avant de constater les résultats de sa séance de régression. En moins d'un mois, l'asthme et les maux de dos de Nora disparurent complètement, au point où elle se demanda si elle n'avait pas « imaginé » qu'elle en avait déjà souffert.

Mais fait encore plus significatif, j'appris sept mois plus tard qu'elle avait donné naissance, le 24 octobre, à une petite fille de trois kilos, qu'ils nommèrent Rachel. Elle avait un teint olivâtre, tout comme son père, et de grands yeux bruns qui rappelaient ceux de sa grand-mère maternelle.

Je suis sûre qu'un jour Nora racontera à sa fille leur rencontre sur la passerelle au-dessus du petit ruisseau cristallin, à l'ombre de l'immense édifice en marbre blanc. Et si elle lui en parle alors qu'elle est encore enfant, il y a de fortes chances pour que Rachel s'en souvienne également.

Il ne fait aucun doute que les maladies et les douleurs non diagnostiquées constituent la principale préoccupation de mes clients et des médecins qui me les réfèrent. Mais je crois qu'il serait bon de le répéter : la mémoire cellulaire *n'est pas* la cause de tous nos problèmes de santé, et aucun médium, moi y compris, ne doit se substituer à un professionnel de la santé. Comme j'aime à le souligner, Dieu a aussi créé les médecins. J'ai toujours insisté pour travailler de concert avec eux, plutôt que contre eux. Alors, je vous en prie, prenez soin de votre santé physique et mentale, mais si jamais quelque chose n'allait pas, rappelez-vous que je chéris tous les clients qui franchissent le seuil de ma porte. Toutefois, si on m'en donne le choix, je ne voudrais pas être la seule personne sur qui vous pouvez compter.

QUATRIÈME PARTIE

SOUVENIRS CELLULAIRES POSITIFS ET CONTEMPORAINS

Au cas où vous vous poseriez la question, il y a une très bonne raison pour demander à l'Esprit Saint de nous libérer des souvenirs *négatifs* qui nous viennent de nos vies passées. Nos esprits spirituels retiennent tout à la perfection. Ils se souviennent de toutes les expériences qu'ils ont vécues. Comme nous venons de le voir, cela inclut les douleurs physiques et émotionnelles, qu'elles aient été résolues ou non. Mais cela inclut aussi les moments de bonheur, de triomphe, de santé et de sérénité, que nous avons connus sur terre et dans l'AU-DELÀ. Tous ces souvenirs positifs peuvent grandement améliorer notre vie actuelle.

Et parlant de nos vies actuelles, n'allez pas croire que les souvenirs cellulaires auxquels nous réagissons tous les jours nous viennent uniquement de nos vies précédentes. Nous avons vu à quelques reprises que notre réalité n'est pas limitée par les souvenirs qui proviennent de notre esprit conscient, mais qu'elle est plutôt un mélange de nos souvenirs conscients et de tous les moments dont notre esprit spirituel se souvient et qu'il a infusés dans nos cellules. Notre esprit conscient est imparfait, oublieux et très protecteur. Même lorsqu'il fait de son mieux, il croit ce qu'il veut bien croire et interprète les faits à son avantage. Autrement dit, on ne peut pas se fier à lui lorsqu'il est question des expériences que nous avons vécues. Si notre histoire se résumait à nos souvenirs conscients, personne parmi nous n'aurait vécu dans le ventre de sa mère, personne ne serait né, et nous aurions tous commencé notre vie vers l'âge de trois ans.

Donc, qu'ils soient positifs ou négatifs, qu'ils viennent du passé ou de notre vie actuelle, notre esprit spirituel retient tous nos souvenirs cellulaires et donne le signal à nos cellules afin qu'elles réagissent en conséquence.

JILL

• CHANGEMENT DE CARRIÈRE

Jill avait trente-quatre ans et connaissait beaucoup de succès, du moins officiellement. Engagée à l'âge de vingt et un ans, dès sa sortie de l'université, par une importante firme de marketing du Midwest, elle avait gravi les échelons, puis obtenu le poste tant convoité de cadre. Son mariage, contracté alors qu'elle était dans la vingtaine, devait durer six ans et se terminer sur une note amicale, mais sans enfant. Elle avait utilisé la part qui lui revenait sur la vente de leur maison pour s'acheter une jolie petite maison en ville. Elle avait une vie sociale relativement bien remplie, mais comme elle devait voyager souvent pour son travail, elle n'avait pas vraiment le temps, ni le goût, de partir à la recherche de l'homme idéal.

Jill n'avait qu'un problème : elle était malheureuse. « J'ai l'impression d'être une ingrate », me dit-elle. « Je sais que j'ai eu beaucoup de chance et que je n'ai pas de raisons de me plaindre. Mais j'ai l'impression de vivre machinalement depuis des années. Mon travail me stimule intellectuellement, mais rien ne me tient vraiment à cœur, et je réalise de plus en plus que la vie est trop courte pour vivre sans passion. En fait, je changerais d'emploi sans hésiter si seulement je savais ce qui me passionne.

— Représentante d'un service chargé de faire respecter la loi.

— Je suis sérieuse.

— Moi aussi », insistai-je. « Vous êtes douée pour les puzzles et les indices, les mystères et les choses de ce genre. Et je me demande si quelqu'un a déjà réussi à vous mentir sans que vous vous en rendiez compte. Vous êtes un véritable polygraphe ambulant. Vous feriez un formidable détective, et croyez-moi, j'ai travaillé avec un assez grand nombre de services chargés de faire respecter la loi pour vous garantir qu'ils ont besoin de vous et que votre aide sera grandement appréciée. »

Elle était plus amusée que convaincue : « Je ne sais pas, Sylvia, je suis peut-être friande d'affaires policières, mais de là à me joindre à la police ?

— Il n'est pas nécessaire d'être "policier" pour faire respecter la loi, Jill. Vous m'avez demandé dans quel domaine vous seriez compétente, tout en étant passionnée par ce que vous faites, et je vous ai répondu. Vous êtes malheureuse parce que votre carrière en marketing ne vous permet pas de vivre pleinement le thème de votre vie qui est la "justice".

— La justice, hein ? » Elle ne me contredit pas. « En fait, je peux l'imaginer. Rien ne me choque davantage qu'un crime impuni. Je me suis toujours demandé d'où me venait ce sentiment. »

Je lui demandai si elle aimerait le découvrir, et elle me répondit par un sourire, visiblement intriguée.

Vingt minutes plus tard, elle se trouvait dans une ville de la Nouvelle-Angleterre. C'était le printemps de 1923, Jill était un homme de quarante et un ans nommé Morgan. Elle n'était pas sûre s'il s'agissait de son nom ou de son prénom, elle savait seulement que tout le monde l'appelait Morgan. Morgan était un médecin généraliste, propriétaire d'un petit cabinet privé, travailleur infatigable, d'une loyauté à toute épreuve envers ses clients, qui n'hésitait pas à parcourir de grandes distances pour porter secours à quelqu'un dans le besoin. Morgan était marié à une femme acariâtre et malheureuse nommée Hesper, qui se plaignait amèrement d'être la femme « du seul médecin de la Côte Est qui n'avait pas fait fortune. » Elle détestait les interminables heures que lui demandait son cabinet, mais semblait détester encore plus les quelques heures qu'il passait à la maison. Elle exprimait son ressentiment en dépensant tout son argent, en ayant des aventures, et en se servant généreusement dans les médicaments qu'il conservait à la maison en cas d'urgence, et en les partageant souvent avec ses amants.

Lorsqu'on retrouva Hesper battue à mort dans leur maison, avec aux bras des marques de seringue encore fraîches, Morgan fut aussitôt arrêté et accusé de meurtre au premier degré. Tout le monde savait qu'il avait un mobile. De plus, il n'y avait aucune trace d'entrée par effraction, la seringue et les médicaments provenaient de sa réserve privée, et il avait passé la soirée en question à aller d'un client à l'autre. Donc, il n'avait pas d'alibi. Morgan était pourtant innocent, et révolté que l'on accuse un homme ayant consacré sa vie à sauver celle des autres, d'avoir commis un tel acte. Même son propre avocat le croyait coupable et se retira de l'affaire lorsque Morgan refusa de plaider coupable. Au cours de la méticuleuse enquête qu'il mena avec quelques amis en vue d'assurer lui-même sa défense, Morgan découvrit plusieurs faits et indices négligés par la police et parvint ainsi à se disculper en identifiant le véritable assassin : un amant de sa femme, un homme marié, qui était passé aux actes après qu'Hesper l'eut menacé de tout dire à sa femme s'il mettait un terme à leur liaison.

Jill trouva l'expérience amusante : « Je dois admettre », dit-elle en ricanant, « que j'aurais fait la même chose étant donné les circonstances.

— Et pourquoi ne pas envisager que vous l'avez véritablement fait ? » lui demandai-je. Elle haussa les épaules, ne rejetant pas complètement l'idée, mais elle demeura sceptique. « Cela expliquerait d'où vous vient votre thème de la justice. Grâce à votre mémoire cellulaire, vous avez peut-être découvert que vous possédez un don pour résoudre les énigmes et que ce don vous vient d'une vie passée. Vous pouvez ou non vous en servir, tout dépend de vous. Mais vous êtes venue me consulter au sujet d'un changement de carrière, n'est-ce pas ? Eh bien, mon expérience et la vôtre vous disent qu'une carrière dans les forces de l'ordre mérite au moins d'être prise en considération. »

Ce n'est qu'au bout de quatre ans que j'eus à nouveau des nouvelles de Jill. Je pensais à elle de temps en temps, me demandant comment les choses avaient tourné, et même si je ne doutais pas de la validité de mes visions et de sa régression, rien ne me laissait croire qu'elle n'avait pas rejeté toute cette expérience comme étant parfaitement ridicule. Ce fut donc une agréable surprise lorsque je reçus d'elle, contre toute attente, un mot de remerciement, accompagné d'une carte d'affaires portant son nom et la mention « détective privée. » D'après sa note, elle gagnait moins d'argent qu'à l'époque où elle était cadre, mais elle n'avait jamais été aussi heureuse et ne s'était jamais sentie aussi utile, surtout qu'elle venait tout juste d'ajouter une prestigieuse firme d'avocats à sa liste de clients. Je partageai entièrement la conclusion de sa note : « Je me réveille tous les matins impatiente d'entreprendre la journée qui vient. Voilà ce que j'appelle avoir du succès. »

SETH

• UN ENFANT MALADE

Seth était à trente ans le père d'une belle petite fille de quatre ans nommée Ashley Rose. Il avait commencé à travailler comme mécanicien dans le garage de son père le lendemain de sa graduation, le même jour où il épousait sa petite amie et la mère d'Ashley Rose, Janice. Seth et Janice, une coiffeuse, travaillaient dur et vivaient simplement, mais rêvaient par-dessus tout d'avoir un enfant. Ashley Rose naquit le jour de leur huitième anniversaire de mariage, et jamais parents ne s'étaient sentis aussi choyés et n'avaient autant aimé leur enfant qu'eux. Mais vers l'âge de trois ans, sans avertissement et sans qu'on puisse l'expliquer d'un point de vue génétique, on découvrit qu'Ashley Rose souffrait d'une maladie rénale très rare. L'enfant était robuste et lutta contre la maladie comme un vrai petit tigre, mais on se rendit vite compte qu'une transplantation était sa seule planche de salut.

« Il faut que je sache s'ils vont trouver un donneur et si ma petite fille va s'en sortir », me dit-il. « Et s'il vous plaît, ne me donnez pas de faux espoirs. Je ne veux surtout pas qu'on me donne une version à l'eau de rose de ce qui va vraiment se passer. C'est pourquoi je suis venu vous voir. Je vous ai vue à la télévision : vous avez le courage d'annoncer les mauvaises nouvelles. Je sais que vous me direz la vérité, car j'ai besoin de la connaître.

— Ils trouveront un donneur, Seth. Dans environ quatre mois. Étonnamment, il se trouve dans le même hôpital que votre fille. Les premiers tests de compatibilité seront peu concluants. Insistez pour qu'ils reprennent les tests à nouveau. Ils seront positifs la fois suivante, et la transplantation sera un succès. Tout ira bien pour votre fille. »

Il m'examina attentivement, puis ajouta : « Vous le pensez vraiment, n'est-ce pas ?

— Oui, je le pense. En fait, je vous le promets. Elle traversera cette épreuve brillamment. Mais pour parler franchement, c'est vous qui m'inquiétez.

— Oh ! mon Dieu, ne me dites pas que je suis malade.

— Pas sur le plan physique. Tout va bien de ce côté. Mais sur le plan émotionnel, cette maladie vous a affecté beaucoup plus que vous ne voulez bien le laisser voir.

— C'est dur pour moi, c'est dur pour ma femme, c'est dur pour tout le monde », rétorqua-t-il, comme s'il cherchait à se disculper. « Le contraire serait étonnant. »

— Je ne veux pas qu'on discute des problèmes de votre famille, je veux qu'on discute de vos problèmes. » Je tâchai de parler doucement et calmement. Je voyais bien qu'il ne se confierait pas facilement, et je ne voulais surtout pas le contrarier davantage. « Pourquoi ne pas me raconter ce qui est arrivé hier ? »

Ma question l'ébranla : « Comment le savez-vous ?

— Je suis médium. » Je lui adressai un sourire, et il esquissa un sourire en retour. « Vous vous êtes enfui de l'hôpital. Vous voulez m'expliquer ce qui s'est passé ou préférez-vous que je vous le dise ? »

Il essaya de minimiser l'importance de sa réaction : « Je déteste les hôpitaux.

— Tout le monde déteste les hôpitaux », lui fis-je remarquer. « Mais tout le monde n'a pas une attaque de panique pour autant. »

Il détourna les yeux et se passa la main dans les cheveux, visiblement épuisé : « Je ne comprends pas. Ça n'a pas de sens. Au cours de la dernière année, j'ai passé un nombre incalculable d'heures dans des hôpitaux au chevet d'Ashley, j'ai eu peur pour elle, c'était un vrai cauchemar, mais j'ai quand même tenu bon. Mais hier, alors que Janice était avec Ashley Rose dans sa chambre, je marchais dans un couloir pour aller chercher du café, lorsque j'ai entendu deux infirmières qui parlaient entre elles. L'une d'elles a dit : "Je ne crois pas qu'elle va s'en tirer." Et l'autre de répondre : "Moi non plus." C'est tout. Il n'en fallait pas plus. Je ne sais même pas si elles parlaient de ma fille. Mais tout à coup, j'ai figé sur place. Je ne pouvais plus marcher. J'avais des sueurs froides, j'étais étourdi, mes oreilles bourdonnaient, puis je me suis mis à trembler. Voyant que j'avais les jambes comme de la guenille, j'ai cru que j'allais m'évanouir. Vous pensez peut-être qu'il n'y a pas de meilleur endroit pour s'évanouir qu'un hôpital, mais ma femme avait déjà bien assez de soucis comme ça. Je ne pouvais pas lui faire une chose pareille, alors je me suis enfui à toutes jambes et j'ai attendu dans ma voiture pendant deux heures, jusqu'à ce que je retrouve le courage de remonter dans la chambre d'Ashley et de prétendre que j'étais à nouveau relativement normal. »

Je lui demandai s'il en avait parlé à sa femme.

Il hocha la tête : « Je ne l'ai dit à personne. J'ai trop honte.

— Pourquoi avez-vous honte ? Ce n'est pas comme si vous aviez planifié d'avoir une attaque de panique. Vous étiez visiblement dépassé par les événements.

— Dépassé ou non, ma fille est très malade et ma femme est au bord de l'épuisement. Il aurait pu se passer bien des choses durant ces deux heures, et où étais-je ? Caché dans ma voiture, tremblant et souffrant d'hyperventilation comme un foutu poltron. Je n'aurais jamais cru que j'étais aussi faible. C'est vraiment terrible…

— Vous n'êtes pas faible, Seth », lui assurai-je. « Et les attaques de panique ne surviennent pas pour rien en général. Il y a un élément déclencheur, je vous le garantis.

— Pouvez-vous me dire ce que c'est ?

— L'impact sera plus important si vous me le dites vous-même. Voudriez-vous essayer ? »

Il était emballé par l'idée et ouvert à tout ce qui pourrait l'aider. En voyant avec quelle facilité il était entré sous hypnose, je m'émerveillai pour la millième fois devant la magnificence de l'esprit humain. J'ai souvent remarqué que plus le sujet est préoccupé et souffrant, plus il est réceptif aux démarches qui lui permettront de comprendre le sens de sa douleur et d'amorcer un processus de guérison. Je pensai aussi, pour la dix-millième fois, que l'esprit était vulnérable et qu'il était obscène d'abuser d'un esprit qui a besoin d'aide et qui cherche à comprendre en lui suggérant, comme le font de nombreux thérapeutes et hypnothérapeutes, des réponses qui n'ont rien à voir avec la vérité. Nous avons tous entendu parler de ces gens qui se « souvenaient » sous hypnose d'avoir été molestés durant leur enfance ou d'un meurtre commis par leurs parents. Certains de ces souvenirs sont véridiques, mais la plupart du temps, ils ont été inventés par un hypnothérapeute désireux de se faire un nom aux dépens de ses clients. On peut habituellement s'en rendre compte en étudiant, non pas les réponses du client, mais les questions et les commentaires de l'hypnothérapeute. C'est pourquoi je donne *toujours* à mes clients un enregistrement de leur séance afin qu'ils puissent l'écouter avec d'autres personnes et ainsi s'assurer que je ne fais que faciliter l'expression de leurs souvenirs plutôt que de les créer.

Lentement, je ramenai Seth au début de sa vie actuelle, au-delà de ses souvenirs conscients, jusque dans son enfance, à l'âge de dix-huit mois. Il se revit étendu sur un lit d'hôpital, entouré d'appareils et d'inconnus portant des masques blancs sur leur bouche. Il était très malade et très faible, et de nombreuses attaques avaient laissé des traces sur son petit cœur. Son père et sa mère étaient constamment à son chevet, mais un jour qu'ils avaient dû s'absenter, il surprit la conversation de deux infirmières près de son lit d'enfant. Celle qui changeait ses couches s'exclama : « Pauvre petit gars, j'espère qu'il va s'en sortir. » L'infirmière qui examinait son dossier répondit : « D'après ce que j'ai entendu, ses chances sont plutôt minces. » Il se souvenait encore de la profonde détresse qui s'était emparée de lui à cet instant, étendu sur le dos, incapable de bouger ou de parler, blessé qu'on puisse dire une chose pareille devant lui avec autant de désinvolture, comme s'il avait déjà cessé d'exister. Mais au fil des jours, sa détresse se transformant en colère, il prit la résolution de survivre et, grâce à un changement de médication, on le ramena chez lui en bonne santé une semaine plus tard.

Après sa régression, Seth m'avoua qu'il avait été troublé par la clarté de ses souvenirs. Ses parents lui avaient dit qu'il avait été hospitalisé lorsqu'il était un petit enfant, mais il ne savait pas pourquoi et il n'avait conservé aucun souvenir de cette expérience.

« Vous souffriez d'une grave intolérance au lactose », lui dis-je. « Demandez à vos parents, ils pourront vous le confirmer. Dieu merci, ils l'ont découvert à temps. Mais ne voyez-vous pas le lien entre les propos de cette infirmière et la conversation que vous avez surprise hier dans le couloir ? À cause de votre fille, vous êtes effrayé et vulnérable. Vous êtes à nouveau dans un hôpital et il suffit d'un élément déclencheur pour vous faire revivre cette panique que vous avez ressentie sans pouvoir l'exprimer vingt-huit ans plus tôt.

— Ou peut-être que je projette cet état de panique sur Ashley Rose et ma peur de la perdre.

— J'aimerais que vous portiez attention à un autre point, Seth. »

Il me demanda lequel.

« Lorsque vous n'étiez qu'un bébé, vous avez survécu, contre toute attente, à une intolérance qui entraîne dans la mort de nombreux petits enfants, même si certaines personnes autour de vous avaient abandonné tout espoir. Cela ne ressemble pas au poltron, faible et pitoyable, que vous prétendiez être lorsque vous êtes entré dans mon bureau. »

Il esquissa un sourire, et poussa même un petit rire : « C'est vrai », dit-il. Avant de quitter mon bureau, il me promit trois choses : de me dire pourquoi il avait été hospitalisé à l'âge de dix-huit mois, d'avertir les employés de l'hôpital de ne pas émettre de commentaires négatifs à portée de voix d'Ashley Rose, et de me tenir au courant de son état de santé et de leur recherche d'un donneur.

Il tint sa première promesse : Seth avait effectivement été hospitalisé pour une série d'attaques causées par une intolérance au lactose.

Quant à la seconde, il raconta aux médecins et aux infirmières sa séance de voyance et de régression. Par simple curiosité, quelques-uns commencèrent à faire du renforcement positif et à encourager Ashley Rose et les autres enfants gravement malades dans l'aile pédiatrique, même lorsque ces derniers dormaient. Rapidement, ils constatèrent une nette amélioration qu'ils qualifièrent « d'extraordinaire. »

Puis vint la promesse numéro trois. J'étais à Saint-Louis, au beau milieu d'une série de conférences, lorsqu'on me téléphona de mon bureau pour me dire que Seth avait un message « urgent » à me transmettre. Je pus sentir l'excitation dans sa voix lorsqu'il décrocha le téléphone.

« Devinez quoi ? Vous aviez tort ! » dit-il. Mais il semblait si heureux qu'il n'y avait pas de raison pour moi de paniquer.

« Ce sont des choses qui arrivent », répondis-je. « Si un médium vous dit le contraire, c'est un menteur. Alors, en quoi ai-je eu tort exactement ?

— Vous avez dit qu'on trouverait un donneur au bout de quatre mois. Eh bien, cela n'a pris que trois mois ! » L'opération avait été un franc succès, me dit-il, et on déclara que sa fille était officiellement tirée d'affaire.

Parfois je m'en veux énormément de m'être trompée. Mais pas cette fois-là.

CARRIE

• GROSSESSE

Toutes les séances de voyance et de régression me fascinent. Elles sont toutes différentes et importantes, basées sur une histoire vraie et dotées d'un potentiel illimité en termes de découverte. Elles enrichissent mes connaissances, et comme je l'espère, celles de mon client, tout en offrant autant (ou aussi peu) de résultats que le client en demande. Puis, de temps de temps, j'entrevois cette même magie spirituelle que j'essaie de partager avec mes clients, et je remercie le ciel qu'il n'y ait pas d'âge pour connaître ce genre d'extase.

Carrie approchait de la trentaine et arborait une épaisse crinière de cheveux blonds naturels qu'on lui avait enviée toute sa vie. Elle était heureuse en ménage, enceinte de sept mois et rayonnante de sentir cette vie à l'intérieur d'elle.

« Avant de commencer », dit-elle, « je veux vous demander : est-ce que je vous rappelle quelqu'un ? »

Je n'aime pas tellement ce genre de questions. D'abord, je n'ai jamais su retenir les noms et les visages, et en vieillissant, les choses ne se sont pas améliorées. « Je suis désolée, mais non, je ne vous reconnais pas », lui dis-je. « Mais pourquoi me posez-vous cette question ?

— La première fois que je vous ai vue à la télévision, j'ai éclaté en sanglots, et cela se reproduit chaque fois que je vous vois depuis.

— Je sais que je peux déclencher toutes sortes de réactions chez les gens, mais les faire éclater en sanglots, c'était bien la première fois. Est-ce quelque chose que j'ai dit ? »

Elle hocha la tête. « Cela a commencé avant même que vous ouvriez la bouche. J'avais l'impression de retrouver une vieille amie, comme une énorme vague de sympathie venue de nulle part, même si j'étais convaincue que je ne vous avais jamais rencontrée. Peut-être vous ai-je connue dans une autre vie ou quelque chose du genre. Mais j'ai tout de suite téléphoné à votre bureau ce jour-là, et j'attends cette séance depuis deux ans. »

Je voudrais signaler en passant que je suis consternée par la longueur de ma liste d'attente et que j'aimerais bien trouver un moyen d'y remédier.

De toute façon, nous classâmes son sentiment de reconnaissance immédiate parmi les petits mystères de la vie et nous débutâmes la séance. C'était la première grossesse de Carrie, et même si elle prenait un soin jaloux de sa santé et de celle de son enfant, elle voulait que je lui assure que son accouchement se déroulerait normalement et que son enfant serait en bonne santé.

« Que diriez-vous d'un beau bébé de quatre kilos et cent soixante-dix grammes ? Est-ce que cela vous irait ? » Elle sourit et poussa un petit soupir comme si elle agonisait. « Vous connaissez le sexe de l'enfant, n'est-ce pas ? »

Elle hocha la tête : « Et vous ?

— C'est une petite fille », lui dis-je.

« J'espère bien, sinon j'aurais perdu un temps fou à broder le nom “Rebecca” sur tout ce qui me tombe entre les mains. Elle portera le nom de ma mère.

— Était-elle grande, blonde, très svelte, avec de longues jambes, un corps superbe, une queue de cheval, une posture parfaite et un rire éclatant ?

— Pourquoi ?

— Parce qu'elle se tient à vos côtés. Et elle est emballée par votre grossesse.

— Je peux vous confirmer tout ce que vous venez de dire, sauf pour son rire », dit-elle. « Elle est morte lorsque j'avais quatre ans. J'ai des millions de photographies d'elle, mais je ne me rappelle pas son rire. » Elle fit une pause, puis ajouta : « Je suppose que ce serait trop demander qu'elle…

— Qu'elle revienne sous la forme de la fille que vous portez ? Non, Carrie. Ce n'est pas elle. Mais elle vous accompagnera, vous pouvez compter là-dessus. Mais surveillez votre petite fille si elle se met à fixer quelque chose que vous ne pouvez pas voir, ou si elle se met à gazouiller sans raison apparente, ou à parler dans le vide. Votre bébé pourra voir sa grand-mère aussi clairement que je vous vois.

— Je donnerais tout ce que je possède pour me souvenir de ma mère », dit-elle, aussi bien pour ma fille que pour moi-même. « On m'a dit que c'était une femme incroyable, mais j'aurais aimé avoir ne serait-ce qu'un seul souvenir d'elle afin de le partager avec ma fille, surtout qu'elle portera le même nom que sa grand-mère. »

Je ne pouvais imaginer raison plus adorable pour procéder à une régression, et Carrie était emballée à l'idée de rencontrer sa mère en personne. Quelques minutes plus tard, elle était à nouveau dans l'Ohio de son enfance, dans sa chambre d'enfant, étendue sur son lit, entourée de ses animaux en peluche. C'était le soir de son quatrième anniversaire, et Carrie tenait dans ses bras son cadeau préféré, un caniche bleu grandeur nature portant un béret. Sa mère était assise près d'elle, vêtue d'un pyjama en soie vert bouteille, les cheveux défaits. Lorsque sa mère se pencha vers elle pour la border, Carrie put les sentir contre sa joue.

« Est-ce qu'elle vous parle ? » demandai-je.

« Elle chante », me dit-elle, puis elle écouta la chanson, sourit et ajouta : « Et elle chante plutôt mal ! Elle a une toute petite voix et elle chante faux. Mais elle s'en moque, et moi aussi d'ailleurs.

— Reconnaissez-vous la chanson ?

— Pas vraiment, mais cela ressemble vaguement… » Elle ne termina pas sa phrase, écouta encore attentivement, puis gloussa : « Je crois que c'est une chanson des Beatles.

— Elle a plutôt bon goût.

— Elle chante “Octopus's Garden” ! » Ce choix musical nous fit bien rire. Parmi les milliers de chansons des Beatles, sa mère n'avait rien trouvé de mieux qu'« Octopus's Garden » pour endormir sa fille. Je regrettais moi-même d'avoir manqué ce spectacle.

Mais soudain, Carrie respira profondément et m'annonça : « Attendez, je me souviens d'autre chose. Lorsque j'étais enfant, je faisais un rêve récurrent. Tout a commencé lorsque ma mère est tombée malade. Mais cela ne ressemblait pas à un rêve, j'avais plutôt l'impression de voler et de visiter des gens durant la nuit. »

Je savais exactement ce qu'il lui était arrivé et lui demandai par conséquent : « Si je vous dis “voyage astral”, ça vous dit quelque chose ?

— En effet, je me rappelle que mon esprit prenait de l'élan, puis sautait dans les airs, un peu comme Superman lorsqu'il s'envolait. Je n'ai jamais vu mon corps étendu sur le lit, mais je sais que j'adorais voler au-dessus du sol et apercevoir le faîte des arbres en dessous de moi. J'aimais surtout rendre visite à une personne en particulier. Elle m'attendait près d'une chute d'eau au milieu d'un magnifique jardin. Elle était grande, costaude, avec des yeux sages et compatissants, et une généreuse poitrine. Même lorsque je me sentais triste, elle parvenait toujours à me faire rire et me disait souvent : “Tu es en sûreté avec moi”. Et effectivement, je me sentais en sécurité là-bas. C’était sans doute une amie imaginaire ou quelque chose du genre, et je suppose que je lui rendais souvent visite, car le lendemain matin, en m’éveillant, je me précipitais dans la chambre de ma mère et je lui racontais que j’avais à nouveau volé avec Bun la nuit dernière. »

Je n’étais pas sûre d’avoir bien compris : « Avec qui avez-vous volé ?

— Avec Bun », répéta-t-elle. « Je ne sais pas d’où vient ce nom ; je savais seulement qu’elle s’appelait ainsi. »

Ce fut l’un de ces rares moments où je me retrouvai sans voix. Bun n’est pas un nom très courant ; en fait, comme je devais l’en informer, Bun est mon surnom dans l’AU-DELÀ. J’aurais pu considérer qu’il s’agissait d’une coïncidence, si seulement je croyais aux coïncidences et si Carrie n’avait pas eu l’impression que je lui étais familière la première fois qu’elle m’a vue. Je préfère croire que mon esprit spirituel profite de mes heures de sommeil pour se rendre près d’une chute d’eau dans l’AU-DELÀ et rencontrer les esprits d’enfants et d’autres futurs clients, afin qu’ils se sentent en sûreté, ne serait-ce qu’un court moment au cours d’une longue nuit.

Rebecca, la fille de Carrie, vit le jour deux mois plus tard, pesant quatre kilos et deux cents grammes. Eh bien, je m’étais encore trompée – de 30 grammes ! J’espère que ce petit bébé aime la chanson « Octopus’s Garden », car j’ai bien l’impression qu’il va l’entendre tous les soirs avant de s’endormir, pendant de nombreuses années.

JANE

• PROBLÈMES MATRIMONIAUX

Presque tous mes clients ont quelque chose à m'apprendre, et Jane ne fut certainement pas une exception. Nous avons tous rencontré des gens avec qui, dès le premier regard, nous partageons une antipathie mutuelle sans raison apparente, surtout si nous sommes obligés de les côtoyer tous les jours. Chaque fois que je pense à ces gens, je revois le visage de Jane.

Jane et son mari, Ryan, s'étaient séparés après seulement quatre ans de mariage. C'étaient des gens aimables et travailleurs qui s'adoraient. Le problème insurmontable à l'origine de leur séparation était un tel cliché que Jane ne put s'empêcher de sourire en guise d'excuse : il s'agissait de la belle-mère de Jane, Saundra. Elle était devenue à ce point envahissante et insupportable que Jane avait quitté la maison et espérait à présent que je pourrais lui assurer que Saundra allait refaire sa vie ailleurs ou mieux encore, qu'elle se volatiliserait.

« Je sais que c'est ridicule de briser mon mariage parce que quelqu'un me tape sur les nerfs », reconnut-elle. « Mais je ne pouvais pas l'endurer une minute de plus. Ryan est enfant unique, voyez-vous. Lui et sa mère ont toujours été très proches. Elle est devenue veuve à l'époque où je fréquentais Ryan, et comme nous avions pitié d'elle, nous l'invitions à venir souper avec nous une ou deux fois par semaine. Nous sommes rapidement devenus tous les trois inséparables. Puis j'ai pensé que ce serait agréable si elle m'aidait à planifier notre mariage. Mais comment aurais-je pu savoir qu'elle prendrait toute l'affaire en main ? C'est elle qui a choisi l'église, le prêtre, les couleurs, les robes pour les demoiselles d'honneur, la musique, le menu et l'orchestre pour la réception. Elle a même décidé de commander derrière mon dos une limousine blanche, alors que j'avais expressément demandé une limousine noire, car elle trouvait, paraît-il, le noir déprimant. »

Je l'interrompis, sachant déjà où cette histoire allait mener. « Et laissez-moi deviner – si vous vous plaignez, Ryan vous accuse de vous montrer ingrate envers sa mère après tout ce qu'elle a fait pour vous. » Elle hocha la tête. « Mais ne dites pas qu'elle vous a accompagnés durant votre voyage de noces ?

— Bien sûr que non », dit-elle, « cela aurait été trop simple. Au lieu de cela, elle s'est mise soudainement à ressentir des douleurs inexplicables dans la poitrine et se rendit d'elle-même à l'hôpital trois jours après le début de notre lune de miel. Nous sommes rentrés immédiatement…

— Brûlures d'estomac ? » demandai-je, même si je savais déjà la réponse.

« Brûlures d'estomac », répondit-elle.

Mais ce n'était que le début. Inquiet de la santé de sa mère et ne voulant pas la laisser seule, Ryan lui dénicha un appartement à deux pâtés de maisons de leur nouvelle résidence et lui donna la clé de leur maison, ce qui permit à Saundra de s'incruster définitivement chez eux. En effet, elle ne manqua pas de faire sentir sa présence, pénétrant chez eux quand bon lui semblait, ne prenant même pas la peine de frapper avant d'entrer, encore moins de téléphoner. Elle régentait totalement leur vie, mais uniquement parce qu'elle voulait les « aider. » Elle réaménagera toute la maison, du mobilier aux armoires de cuisine, y compris la commode de Jane. Un jour, alors que Jane et Ryan étaient en voyage d'affaires, elle décida, pour leur réserver une surprise, de faire mettre de la nouvelle moquette partout dans la maison, alors que c'était parfaitement inutile, et pour couronner le tout, d'une couleur que Jane détestait. Elle alla même jusqu'à engager une femme de ménage, prétextant que Jane « ne savait pas comment s'y prendre », tout en se plaignant à Ryan, en privé, qu'elle ne faisait pas grand-chose dans la maison. Et pendant tout ce temps, elle traitait Jane avec gentillesse, mais seulement lorsque Ryan était dans la pièce. Derrière le dos de son fils, elle était souvent sarcastique, cruelle et condescendante, puis ne ratait pas une occasion de rapporter à Ryan tout ce que Jane avait pu dire de blessant ou d'injurieux, ce qui menait inévitablement à de violentes disputes entre Jane et Ryan.

« Il n'arrêtait pas de me dire : “Elle a tout fait pour nous, elle t'aime tellement, et tout ce qu'elle reçoit en retour, c'est ton ressentiment. Je ne sais pas quel est ton problème, mais règle-le.” J'en suis venue à la conclusion que la seule façon de le régler était de partir. Mais j'aime encore mon mari, et je crois que si nous étions seuls tous les deux, nous serions heureux ensemble. J'espère seulement que vous pourrez me dire si nous en aurons la chance un jour ou s'il vaut mieux abandonner tout de suite et recommencer à zéro.

— Inutile de préciser qu'elle ne vous aime pas vraiment, elle sait exactement ce qu'elle fait, et le jour où vous êtes partie, cela a été une grande victoire pour elle. Mais il ne s'agit pas que d'une belle-mère trop possessive qui ne veut pas perdre son fils. Ce conflit vous concerne personnellement. En fait, vous avez une histoire commune assez fascinante.

— De quoi s'agit-il ? Je l'ai assassinée dans une autre vie et aujourd'hui elle prend sa revanche ? Ou mieux encore : elle m'a fait une chose terrible dans une vie passée et je me venge dans cette vie-ci en l'assassinant ! »

Elle plaisantait, mais elle n'avait pas complètement tort. Nous rigolâmes de bon cœur, puis je lui répondis : « Si je vous disais la vérité, vous ne me croiriez pas. Mais pourquoi ne retourneriez-vous pas dans le passé pour le découvrir par vous-même ? »

Elle accepta, et avant longtemps, elle revit sa vie adulte, puis son adolescence maladroite, son enfance heureuse, et finalement le ventre de sa mère où elle avait été si bien que les médecins avaient dû déclencher l'accouchement cinq jours après son terme. Je lui demandai ensuite de trouver le point d'entrée où avait débuté la guerre des nerfs qui l'opposait à Saundra. Il y eut un long silence, puis elle fronça les sourcils, quelque peu confuse.

« Je nous vois », dit-elle. « Saundra et moi. »

Je lui demandai ce qu'elles faisaient.

« Nous sommes en train de rire. Nous nous aimons bien. En fait, nous sommes de bonnes amies. » Même sous hypnose, elle semblait toujours aussi incrédule. « Nous travaillons ensemble. Nous gardons des animaux. Il n'y a pas de cages ou autre chose du genre, ils vont librement dans cette verte vallée entourée de montagnes. L'air est pur et le ciel est couleur de crépuscule. Je ne trouve pas les mots pour décrire tant de beauté…

— Savez-vous en quelle année vous-êtes ? » demandai-je.

Elle réfléchit à la question, puis ajouta : « Quelle année ? Mais il n'y a pas d'année. Il n'y a pas de temps. Il n'y a que l'instant présent. »

Cela ne correspondait qu'à un seul endroit : « Où êtes-vous, Jane ?

— Je suis à la Maison », dit-elle. « Dans l'AU-DELÀ. » Il y avait de l'émerveillement dans sa voix.

« Alors comme ça, dans l'AU-DELÀ, vous êtes amie avec Saundra ? »

Elle hocha la tête : « Nous bavardons et faisons des projets d'avenir.

— À quel sujet ? Comprenez-vous les mots que vous vous échangez ?

— Nous avons décidé de passer une autre vie ensemble sur terre. Nous avons toutes deux l'impression que nous devons régler quelque chose, et comme nous nous connaissons si bien, nous allons élaborer notre plan de vie de façon à ce que nous puissions régler notre petit différend, mais en prenant soin que cela ne soit pas trop facile, pour éviter que nous le réglions avant d'avoir vraiment compris la leçon.

— Et qu'est-ce que vous voulez apprendre ? »

Elle s'esclaffa. Son rire était si contagieux que je me mis à rire à mon tour, sans même savoir pourquoi.

Finalement, elle m'expliqua quels étaient le plan de vie et la leçon qu'elles comptaient en tirer lors de leur prochain passage sur terre : « La tolérance. »

Nous nous esclaffâmes à nouveau après la régression. « Tolérance », répéta-t-elle. « En d'autres mots, j'ai demandé à Saundra de se joindre à ma vie et de voir si elle pourrait me rendre folle afin que je puisse apprendre la tolérance. Eh bien, on peut dire qu'elle fait un sacré bon boulot ! Je dois le reconnaître. » Elle fit une pause, puis ajouta : « Pauvre Ryan…

— Pourquoi dites-vous cela ?

— Il est un peu la victime innocente dans toute cette affaire, non ? Nous avons utilisé cet homme extraordinaire pour nous rencontrer dans cette vie.

— Et maintenant vous savez pourquoi il est si extraordinaire », lui fis-je remarquer. « Si vous aviez choisi un imbécile, vous l'auriez quitté depuis longtemps et Saundra n'aurait pas eu autant de mal à le laisser s'éloigner d'elle. »

Avant la fin de notre rencontre, Jane avait décidé de retourner auprès de son mari et de raccommoder son mariage.

« Pour commencer », me dit-elle, « combien de fois dans cette vie vais-je avoir l'occasion d'épouser un gars génial ?

— Je ne veux pas vous contredire, Jane, mais je dois vous avertir : Saundra ne va pas disparaître. En fait, elle se portera à merveille pendant encore trente-deux ans. Êtes-vous sûre de vouloir y faire face ?

— En tant que belle-mère ? Non... Mais en tant que vieille amie ? Je trouverai bien un moyen. »

Jane retourna vivre avec Ryan. Saundra est toujours aussi impossible. Et chaque fois que Jane est sur le point d'abandonner ou d'exploser, elle se remémore le temps passé avec son amie dans l'AU-DELÀ, leurs plans de vie, leurs éclats de rire, et elle se permet d'embrasser Saundra.

« Cela fonctionne à deux niveaux », lui dis-je lorsqu'elle me téléphona quelques mois plus tard. « Spirituellement, c'est un geste charmant. Et d'un point de vue humain, cela doit la rendre folle ! »

Elle essaya d'étouffer un fou rire, mais je l'entendis ricaner à l'autre bout du fil. « Sylvia, vous avez pris connaissance de notre entente en même temps que moi. Je ne suis pas ici uniquement pour apprendre la tolérance, mais aussi pour l'enseigner. Quel genre d'amie serais-je si je ne lui donnais pas l'occasion de se montrer tolérante ? »

Comme je l'ai dit plus tôt, chaque fois que je pense à Jane, je ne peux m'empêcher de sourire.

MATTHEW — QUATRE ANS

DÉPRESSION CHRONIQUE

Puis, je fis la connaissance de Matthew, un parfait exemple de souvenirs cellulaires positifs et contemporains se manifestant au cours d'une même séance de régression. À quatre ans, Matthew était l'un des enfants les plus admirables que je n'aie jamais vus. Il était aveugle de naissance, et même si ses parents remuaient ciel et terre pour lui venir en aide, lui offrir les meilleurs thérapeutes et le faire entrer dans une école maternelle spécialisée, il ne semblait pas être en mesure de s'intégrer à son milieu. Il n'était pas agressif, seulement triste et introverti, et étrangement silencieux pour un petit garçon en santé. L'un de ses professeurs, connaissant mes ouvrages, me recommanda à sa mère, Grace, qui mourait d'envie de voir son enfant heureux et qui était donc ouverte à toutes les suggestions.

Matthew fut rapidement à l'aise avec moi. À l'instant même où je lui disais bonjour, son visage s'illumina et il me dit : « Je vous ai entendue à la télévision. Vous êtes drôle. » Les enfants réagissent souvent de cette façon, surtout mes petits-enfants, Willy et Jeffrey. « Médium ou bien cuit, et alors ? Pourvu que vous me fassiez rire, ça me va. » Je ne me plains pas, croyez-moi. Non seulement je ne peux imaginer vivre sans humour, mais rien ne met les enfants à l'aise plus rapidement, y compris Matthew. En fait, lorsque Grace suggéra qu'il s'ouvrirait peut-être davantage si elle demeurait dans la pièce avec nous, Matthew me devança et lui expliqua poliment que tout irait bien sans elle.

Lorsque nous fûmes seuls, je trouvai Matthew un peu silencieux, mais c'était aussi un garçon attentionné, intelligent et désireux de rendre service. Je lui expliquai brièvement ce qu'était l'hypnose et ce que nous allions faire, et que je voulais tout savoir de lui afin que nous puissions devenir amis. Tout comme ma petite-fille Angelina à son âge, il avait du mal à prononcer les « r », et je pensai tout de suite à elle lorsqu'il me répondit : « Pas de P'oblème. »

Comme la plupart des enfants, Matthew était un sujet idéal et très ouvert, candide et sans peur, si bien qu'au bout de quelques minutes, il respirait calmement et semblait tout à fait satisfait.

« Qui étais-tu avant d'être Matthew ? » lui demandai-je. Les jeunes enfants répondent spontanément à ce genre de question, qu'ils soient ou non sous hypnose, leurs vies passées étant encore plus récentes et familières que leur vie actuelle.

« Un homme, grand, avec des cheveux foncés », dit-il. « Je fais de la musique.

— N'est-ce pas merveilleux ! Mais dis-moi, comment fais-tu de la musique, Matthew ?

— Il y a plein de gens devant moi avec des cors et des tambours et des machins, et je leur dis quand jouer et quand arrêter.

— Tu es le chef d'orchestre ?

— Oui, je suis le chef d'orchestre. Je fais comme ça ! » Et il se mit à agiter les bras dans les airs. Ce garçon de quatre ans, aveugle de naissance, savait exactement à quoi ressemblait un chef d'orchestre au travail.

Je lui demandai : « Tu dois bien connaître la musique pour être chef d'orchestre ?

— Oui, je suis très bon », répondit-il avec toute la candeur d'un enfant. « Je peux l'écrire (encore une fois, tout comme Angelina, il prononça " écouire ") et je peux la jouer au piano. J'aime beaucoup la musique.

— Est-ce que tu aimes encore la musique depuis que tu es Matthew ?

— Je pense bien qu'oui, mais je ne sais plus en jouer.

— Bien sûr que tu peux », lui dis-je. « Tu as simplement oublié comment faire, c'est tout. Si tu avais un professeur, il pourrait t'aider à t'en souvenir.

— Non, je veux dire que je ne suis plus capable de jouer.

— Pourquoi cela ?

— Parce que je suis aveugle. » La tristesse qui transperçait dans sa voix me brisa le cœur.

« Qui t'a dit que les aveugles ne pouvaient pas jouer de musique, Matthew ?

— Maman. Elle dit que je ne peux pas faire toutes les choses que font les autres enfants.

Je m'approchai de lui et mis mon bras autour de ses épaules. Il se colla aussitôt contre moi. « Tu sais quoi ?

— Quoi ?

— Ta maman se trompe.

— Est-ce qu'elle m'a menti ?

— Non, Matthew, elle ne t'a pas menti, mais elle se trompe. De temps en temps, sans faire exprès, les mamans commettent des erreurs. Je me suis déjà trompée moi aussi, quand j'avais à peu près ton âge. » Il pouffa de rire. « Tu sais quoi ? Peut-être que si je lui en glissais un mot…

— Peut-être qu'elle se sentirait mieux ?

— Est-elle malade ?

— Elle est triste. Mon papa aussi est triste. Tout le temps.

— Pourquoi ?

— À cause de moi. »

Il fallait absolument que j'en parle avec sa mère. Je le tins dans mes bras pendant quelques minutes, tout en lui caressant les cheveux, puis je lui expliquai que parfois nos esprits se souvenaient de choses qui pouvaient nous aider et parfois de choses qui pouvaient nous faire du mal, et qu'il allait à présent se souvenir uniquement des choses qui pouvaient l'aider, comme la musique. Dieu s'occuperait des souvenirs négatifs et les envelopperait dans Sa lumière d'amour afin qu'ils disparaissent et qu'ils ne lui fassent plus jamais de mal.

Finalement, je le laissai au soin de mon personnel qualifié, qui s'empressa de l'accueillir et de le divertir tandis que je m'entretenais avec Grace dans mon bureau. Je lui expliquai que Matthew avait l'impression d'être un petit garçon inutile, incapable de faire ce que font les autres enfants, et croyait que ses parents étaient tout le temps tristes à cause de lui. « Moi aussi je serais renfermée et déprimée si j'étais convaincue que mon univers se résumait à cela », dis-je.

Elle se mit à pleurer. « Sylvia, nous adorons notre fils, Je donnerais ma vie pour lui sans hésiter.

— Je le sais bien.

— Mais je dois admettre que nous sommes au bout du rouleau, tant sur le plan financier qu'émotionnel. Mais il en vaut la peine, croyez-moi. Même si c'est dur, nous avons décidé de consacrer nos vies à la cécité de Matthew. »

Au cours de ma carrière, j'ai vu des milliers de clients tomber dans ce piège. « Peut-être votre problème vient-il de là », lui suggérai-je. « Plutôt que de vous consacrer à sa maladie, pourquoi ne pas vous consacrer à cet enfant brillant, beau et sensible ? Peut-être cela vous faciliterait-il la vie à tous. Peut-être pourriez-vous enfin avoir du plaisir avec lui. Je crois que vous observeriez un gros changement s'il avait l'impression de vivre avec des gens qui apprécient simplement sa compagnie. » Elle m'écoutait attentivement, assimilant l'information, et tandis que j'avais toute son attention, je décidai que je n'avais rien à perdre en allant encore un peu plus loin. « À présent, Grace, pourquoi lui avez-vous dit qu'il ne pouvait pas faire tout ce que font les autres enfants ? Pourquoi lui imposer des limites de cette façon ?

— Franchement, je n'en sais rien, Sylvia », insista-t-elle. « J'ai toujours pris soin de ne jamais dire quelque chose du genre en sa présence. Je n'y ai même jamais fait allusion. Le médecin de Matthew et moi en avons parlé lorsqu'il m'a annoncé que sa cécité était irréversible. Ma première réaction a été de la colère et du chagrin en apprenant que ce petit bébé innocent ne pourrait jamais vivre une vie normale. Mais notre médecin nous a donné de la documentation sur l'importance du renforcement positif et je n'ai jamais dit ou laisser dire quelque chose de négatif à ce sujet depuis.

— Où était Matthew lors de cette rencontre ?

— Il était avec moi », dit-elle. « Mais, Sylvia, il n'avait que sept mois !

— Dans *cette* vie il n'avait que sept mois. Mais son esprit est aussi vieux et sage que nous. On n'imagine pas tout ce qu'ils comprennent et tout ce dont ils se souviennent. »

Elle demeura silencieuse pendant un moment. Puis, ouverte à l'idée, mais tout de même sceptique, elle me demanda timidement : « Alors, que dois-je faire ?

— Vous n'avez qu'à vous excuser et lui dire que vous réalisez à présent que vous avez eu tort. Il comprendra. Et puis, si j'étais vous – y aurait-il moyen de lui dénicher un piano ?

— Un piano ? Pourquoi ?

— Je crois que cela lui plairait. Disons pour le moment qu'il s'agit d'une intuition, et s'il s'avère que j'avais raison, je vous expliquerai pourquoi.

— Nous n'aurons jamais les moyens d'en acheter un », me dit-elle. « Toutefois, ma sœur en possède un, peut-être pourrions-nous lui emprunter pendant un certain temps.

— Parfait, demandez-lui », dis-je. « Laissez-le s'amuser avec le piano pendant quelques mois, puis rappelez-moi pour me dire ce qui est arrivé. »

Huit mois plus tard, je reçus une carte de remerciement de Grace avec une photographie de Matthew, radieux, prenant la pose avec ses parents près de son piano. Il y avait aussi une cassette sur laquelle se trouvait une chanson écrite par Matthew, et que tous les élèves de son école maternelle avaient apprise et chantée en chœur lors de leur fête de fin d'année. C'était une chanson très simple qui avait peu de chance de se rendre sur les palmarès ou de devenir un classique, et les paroles ne rimaient pas tellement, c'est le moins qu'on puisse dire. Mais la chanson parlait du bonheur d'un petit garçon et de ses parents qui étaient fiers de lui, et c'est sans doute la chanson la plus adorable que je n'ai jamais entendue.

Jusqu'à présent, vous avez lu des récits relatant les expériences de gens qui ont vu l'impact que pouvait avoir la mémoire cellulaire sur leur santé physique et émotionnelle, en bien ou en mal, dans leurs vies passées ou dans leur vie actuelle, et la liberté qu'ils pouvaient acquérir en se débarrassant de leurs souvenirs cellulaires négatifs. Mais ce livre ne serait pas complet si je ne mettais en pratique cette conviction personnelle voulant que tout ce que je sais, vous pouvez le savoir vous aussi. En d'autres mots, rien n'est plus intéressant que le récit de votre propre mémoire cellulaire ; il ne vous reste plus qu'à découvrir quelle est votre véritable histoire.

CINQUIÈME PARTIE

LES SECRETS DE VOS PROPRES VIES PASSÉES

LE VOYAGE

Nous savons tous que savoir, c'est pouvoir. Donc, il est logique qu'une meilleure connaissance de soi mène à une plus grande maîtrise de soi. Plus nous nous connaissons, plus nous serons efficaces et mieux nous nous sentirons dans notre peau. Comprendre nos motivations, nos dégoûts, nos désirs, nos peurs, et *pourquoi* nos pensées et nos sentiments sont ce qu'ils sont, peut faire toute la différence sur le plan de notre santé physique et émotionnelle. Découvrir les souvenirs cellulaires à l'origine de cette différence est le moyen le plus rapide et le plus efficace pour améliorer notre qualité de vie, et ce, dès aujourd'hui.

J'espère que vous ne vous êtes pas senti exclu à la lecture de ces récits, comme si les voyages dans le temps exigeaient un don particulier de la part de mes clients ou bien comme si ils étaient les seuls à avoir eu des vies passées. Toutes les personnes présentées dans ce livre sont aussi « ordinaires » et « extraordinaires » que vous, et je vous promets que votre histoire éternelle vous attend à la minute même à l'intérieur de votre esprit spirituel, attendant simplement d'être découverte pour partager avec vous sa sagesse et se libérer de ses douleurs.

Je n'ai jamais rencontré personne qui ne voulait ou ne pouvait pas retourner au moins dans une vie passée. Pas une seule, parmi les milliers et les milliers de cas de régression que j'ai supervisés depuis un quart de siècle. Alors je vous en prie, je n'insisterai jamais assez sur ce point, sachez que si vous êtes le moindrement curieux au sujet de vos vies passées, vous pouvez en faire l'expérience. C'est aussi simple et aussi extraordinaire que cela.

Avant une régression, la plupart de mes clients craignent habituellement trois choses. Au cas où vous partageriez leurs craintes, laissez-moi vous rassurer afin que vous puissiez poursuivre la lecture de ce chapitre sans réticence.

- Je ne pense pas pouvoir être hypnotisé. Tous les clients que j'ai rencontrés pouvaient, à des degrés divers, se faire hypnotiser, que ce soit à dix ou quatre-vingt-dix pour cent, sans compter que le succès d'une régression ne dépend pas de cela. En fait, comme vous le verrez plus loin dans ce chapitre, si l'hypnose est un excellent moyen pour accéder aux souvenirs contenus dans notre esprit spirituel et nos cellules, il existe néanmoins d'autres façons de recouvrer ces souvenirs, comme par exemple la méditation ou la visualisation.
- Je ne sais pas comment visualiser. C'est une honte que certaines personnes aient répandu l'idée que la visualisation était quelque chose de complexe et d'ésotérique ne pouvant être obtenue qu'en prenant la position du lotus et en portant un turban et des bijoux. En vérité, nous visualisons tous plusieurs fois par jour. Si vous n'étiez pas capable de visualiser, vous ne pourriez pas vous représenter les êtres qui vous sont chers, votre maison, vos animaux domestiques, un arbre, le ciel ou votre lieu de travail à moins de les avoir directement sous les yeux à ce moment-là. Vous ne seriez jamais capable de décrire quoi que ce soit ou quiconque, et la seule façon pour vous de retrouver votre voiture dans un terrain de stationnement bondé

consisterait à attendre que toutes les autres voitures soient parties et à souhaiter que vos clés fassent démarrer l'une des voitures restantes. La visualisation n'est rien d'autre que l'action de se représenter quelque chose, et lorsque vous êtes en route vers votre passé, plus il y a de détails, mieux c'est.

- Que va-t-il se passer si je découvre que j'étais une mauvaise personne ? Premièrement, si vous étiez vraiment une mauvaise personne, vous seriez un être maléfique, et comme je l'ai expliqué au chapitre 1, les êtres maléfiques n'ont ni la capacité ni l'intérêt de revisiter leurs vies passées. Le fait même de découvrir que vous étiez une mauvaise personne dans une vie passée exclut la possibilité que vous soyez irrécupérable ou étranger à l'amour inconditionnel de Dieu. Deuxièmement, puisque nous sommes sur terre pour grandir et apprendre, il est inévitable que nous commettions des erreurs, et certaines de ces erreurs sont parfois très graves. J'en suis à ma cinquante-quatrième vie sur terre. Inutile de préciser que toutes ces vies passées ne m'ont pas valu médailles et honneurs. Tout comme vous, j'en suis sûre, j'ai bien agi dans certaines situations, mais j'ai aussi commis de graves erreurs, dans mes vies passées et dans celle-ci. Nous ne devrions pas avoir honte des erreurs que nous avons commises dans nos vies passées, à moins que nous ayons refusé de reconnaître nos torts, de les corriger, d'en tirer des leçons et de nous engager à ne pas les répéter. Et si jamais, dans une autre vie, nous avons commis des actes impardonnables et pour lesquels notre mémoire cellulaire se sent encore coupable, pourquoi passer notre vie actuelle à l'ombre de nos erreurs passées alors que la lumière brille au bout du tunnel ?

Pour vous montrer à quel point les vies passées et la libération des souvenirs négatifs sont à la portée de tous, je tiens à partager avec vous une lettre qui est arrivée sur mon bureau le jour même où je débutais la rédaction de ce livre. Elle m'avait été envoyée par un homme nommé Harry, qui, selon ses propres mots, avait été « traîné de force » par sa femme à l'une de mes conférences à Cleveland. Épuisé par ses dix heures de travail, le cou raide et endolori par le stress, il avait à peine eu le temps de manger un hamburger froid sur le chemin de l'auditorium, et rien ne pouvait l'ennuyer davantage que de passer une soirée « assis dans une salle à écouter une médium lire dans les feuilles de thé. » (Pour mémoire, j'ai déjà essayé de lire dans les feuilles de thé. Vous savez ce que j'ai vu ? J'ai vu, tout comme vous, les mêmes feuilles de thé détrempées !)

Si vous avez déjà assisté à l'une de mes conférences, vous savez qu'après la pause, je dirige une séance de méditation, un exercice particulièrement puissant lorsque trois ou quatre mille personnes y participent. Nous débutons par des exercices de relaxation, puis nous procédons à la séance de méditation comme telle. L'orientation de la séance dépend du sujet de la conférence ou de l'humeur des participants. Parfois des membres de l'auditoire visitent des êtres chers dans l'AU-DELÀ, parfois ils rencontrent leur Guide Spirituel, parfois ils revisitent une vie passée, et parfois je les dirige vers un point d'entrée afin qu'ils se libèrent d'une douleur chronique, physique ou émotionnelle.

Harry se trouvait donc dans l'assistance un soir où je dirigeais une séance de régression dans la mémoire cellulaire. Lorsque je demandai à l'auditoire de s'asseoir confortablement, les jambes dépliées, les pieds à plat sur le sol, les mains sur les cuisses et les paumes tournées vers le haut, Harry pensa : « Enfin, je vais pouvoir faire une petite sieste. » Mais comme il me l'écrivait dans sa lettre : « Je n'allais pas perdre mon temps avec cette stupide méditation dont je ne connaissais rien et dont je ne voulais rien savoir. » Il apprécia la séance de relaxation, surtout qu'il en avait bien besoin, ce qui l'encouragea à écouter et à suivre les indications en autant que cela lui faisait du bien. Pendant ce temps, j'amenais tranquillement l'auditoire à retourner dans leur vie, puis jusqu'au plus lointain passé enfoui dans leur esprit spirituel et leurs cellules.

« Puis soudain », m'écrivait-il dans sa lettre, « je me retrouvai sur le dos d'un cheval, les mains liées derrière le dos, face à un nœud coulant. Il y avait plusieurs hommes autour de moi, eux aussi à cheval, et aucun moyen de m'échapper. Je ne sais pas pourquoi je le savais, car personne ne m'adressait la parole, mais je savais qu'on allait me pendre pour un meurtre que je n'avais pas commis. On me mit une cagoule noire sur la tête, je sentis le nœud coulant glisser contre mon cou, puis on donna une claque sur la croupe de mon cheval qui partit en coup de vent... Je me revois en train de me balancer au bout d'une corde, avec tout juste assez d'air dans les poumons pour comprendre qu'on vient de me briser le cou. »

Comme à mon habitude, je terminai la séance de régression par une prière afin que la blanche lumière du Saint Esprit libère tous les participants de leurs souvenirs cellulaires négatifs, puis je ramenai tout le monde dans le temps présent, parfaitement éveillé et détendu, et je répondis aux questions de l'auditoire.

« Lorsque je suis sorti de mon état méditatif », m'écrivait Harry, « j'ai remarqué que mon cou ne me faisait plus mal, mais j'ai pensé que c'était dû aux exercices de relaxation que vous nous aviez fait faire. Il y a déjà quatre mois de cela, et après avoir souffert pendant des années de ce mal de cou chronique, voilà qu'il a complètement disparu ! Je ne suis pas encore convaincu que je ressentais une douleur dans le cou parce que j'avais été pendu dans une vie passée, mais je suis sûr d'être guéri et je tiens à vous en remercier. Si seulement vous pouviez faire en sorte que ma femme cesse de me répéter : “Je te l'avais bien dit", je dirais à tous ceux que je connais que vous faites des miracles. »

J'ai reçu des douzaines de lettres de gens qui ont vu disparaître leurs phobies, leurs problèmes émotionnels ou leurs incapacités physiques après une séance de méditation régressive, et j'ai le plaisir de vous confirmer que tous ces gens n'y avaient pas été traînés de force ! Je ne dis pas cela pour me vanter. Je veux simplement vous faire comprendre qu'il n'est pas nécessaire d'être sous hypnose ou de maîtriser les techniques de méditation ou même d'en connaître le b.a.-ba., ni même d'y croire ou d'avoir un avis sur l'existence des vies passées pour guérir votre mémoire cellulaire. Je dois admettre que par certains côtés, cela est tout bonnement stupéfiant. Mais la mémoire cellulaire est stupéfiante. Les guérisons sont stupéfiantes. Et plus stupéfiant encore est ce miraculeux mélange de bonne volonté et de grâce divine qui nous permet de recevoir la guérison des mains de Dieu.

Si, d'un autre côté, vous croyez avoir besoin d'une séance d'hypnose, je suis heureuse de vous apprendre qu'il vous sera beaucoup plus facile d'obtenir un rendez-vous qu'il y a un an ou deux ans. Comme je l'ai mentionné plus tôt, la longueur de ma liste d'attente me scandalise, et je continuerai à faire tout ce qui est en mon pouvoir pour y remédier, croyez-moi. Même si je ne peux pas former mon personnel et mes pasteurs afin qu'ils deviennent médiums, plusieurs de mes pasteurs sont devenus d'excellents hypnotiseurs professionnels et accomplissent un formidable travail. Deux d'entre eux, Tina Coleman et Linda Potter, parcourent leur pays et organisent des régressions sur rendez-vous. Je vous encourage donc fortement à téléphoner à mon bureau ou à visiter mon site Internet. Vous trouverez un complément d'information et de plus amples détails sur les horaires de Tina et Linda à la fin de ce livre. Je n'oserais pas vous les recommander si je ne les avais pas formées et vues à l'œuvre personnellement, et surtout, si je ne les aimais pas de tout mon cœur et si je ne leur faisais pas entièrement confiance.

COMMENT RETROUVER LE CHEMIN DU RETOUR

Cela étant dit, je veux vous assurer à nouveau que vous pouvez vraiment accomplir vous-même une régression curative à votre propre convenance. Vous pouvez vous limiter à l'exploration de cette vie-ci ou de toute autre vie passée qui vous convient. Vous pouvez procéder aussi rapidement ou lentement qu'il vous plaira, et vous pouvez le faire en privé ou avec un petit groupe d'êtres chers, pourvu qu'ils soient coopératifs. Dans les pages qui suivent, je vous initierai au voyage dans le temps, mais avant de commencer, il faut d'abord clarifier certains points.

L'importance des lumières et des couleurs

À mesure que votre voyage curatif dans le temps progressera, on vous demandera de visualiser différentes couleurs sous forme de lumière. Les couleurs n'ont pas été choisies au hasard. Chacune d'entre elles a sa propre signification, et plus vous vous représenterez clairement et distinctement ces couleurs durant la méditation, plus votre expérience sera efficace. Faites en sorte que chaque couleur soit vive, vibrante et radieuse, comme si elle avait un souffle et un pouls bien à elle, afin que vous puissiez ressentir autour de vous la douce chaleur rajeunissante qui émane de leur présence.

Le *blanc* représente la pureté et la purification, c'est la couleur de la lumière sacrée émanant de l'Esprit Saint. La lumière blanche nous protège, nous enveloppe dans la grâce de l'amour inconditionnel de Dieu et chasse les ténèbres qui osent s'approcher d'elle.

Le *Bleu* est la couleur de la tranquillité et d'un niveau de conscience élevé. Elle ouvre la conscience, le corps, l'esprit et le cœur à toute la sagesse positive que nous ramenons avec nous de nos innombrables vies passées et couvre les bruits stridents de la terre qui nous séparent de la vérité sacrée de notre propre immortalité.

Le *vert* représente la guérison. Cette couleur revivifie, dynamise et revigore. Elle facilite la circulation du sang vers les organes, les cellules, les molécules de votre corps, guérissant et renouvelant tout ce qu'il touche sur son passage.

La couleur *or* représente le don étincelant et merveilleux de la dignité divine, un don que nous pouvons rejeter négligemment, mais qu'on ne peut pas nous enlever contre notre gré. L'or nous fait relever fièrement la tête, c'est une main universellement tendue qui offre le même respect qu'elle commande, un cœur généreux tellement sûr de son amour et de l'amour de son créateur, qu'il ne peut concevoir de se montrer petit ou méchant avec ceux qui, comme lui, ont le courage d'entreprendre ce dur périple loin de la Maison.

Le *pourpre* détient la clé du passé et du futur, et contribue à lever le mince voile qui nous empêche d'apercevoir clairement notre immortalité. Le pourpre royal nous rappelle nos droits, en tant qu'enfants de Dieu, et nous donne, plus que toute autre couleur du spectre, le courage d'accéder à cette dimension atemporelle où se cache notre histoire et de faire face à ce que nous avons été, à ce que nous avons su et à ce que nous avons encore à apprendre, tandis que notre esprit s'élance, tend et insiste pour réaliser rien de moins que le plein potentiel que Dieu a mis en nous. Dans l'éclat de la couleur pourpre, nous célébrons révérencieusement le miracle de notre lignée souveraine et réalisons au plus profond de notre être que notre Père et notre Mère entendent nos remerciements pour le souffle, la vérité, l'honneur et le sens de nos vies éternelles qu'Ils nous ont données et que nous nous apprêtons à explorer.

L'utilisation de chandelles

Évidemment, il n'est pas nécessaire d'utiliser des chandelles lors d'une régression, surtout qu'aucune chandelle dans le monde n'a quelque pouvoir par elle-même. Mais pour faciliter la détente, le calme et la concentration, elles apportent une contribution significative à l'atmosphère de sainteté requise pour la reconnaissance de l'esprit spirituel et de la mémoire cellulaire.

Elles évoquent d'abord la force des rituels qui nous ont précédés au cours des millénaires, où les chandelles étaient des éléments sacrés et bien-aimés, servant à nous rappeler la lumière de Dieu qui brille en chacun de nous, flammes aussi blanches et pures que l'Esprit Saint qu'elles symbolisent. En allumant une chandelle en l'honneur de Dieu, nous recréons ce rituel que nos ancêtres se sont transmis de génération en génération, et, par ce simple geste, nous reprenons fièrement notre place parmi eux.

L'utilisation de chandelles comporte aussi un autre avantage, beaucoup moins connu, mais tout aussi profitable. En effet, si les esprits ne peuvent voir les lumières de source électrique, ils peuvent voir et sont attirés par la lueur des chandelles. Pendant que nous voyageons dans le temps pour redécouvrir notre histoire et uniquement notre histoire, nous attirons ainsi à nous plusieurs êtres chers, des ennemis et des personnes que nous avons connus à d'autres époques et dans d'autres lieux, qui apporteront à notre expérience une richesse non négligeable, de celle qui transforme une simple connaissance en une compréhension sincère.

Maints clients m'ont dit que les chandelles les avaient énormément aidés durant leur régression, et moi-même, j'aime bien les intégrer à mes propres séances de méditation. Si vous souhaitez vous entourer de chandelles durant votre expérience, la signification des couleurs utilisées lors de la régression peut aussi vous servir de guide – vous utiliserez une chandelle blanche pour obtenir la protection de l'Esprit Saint, une chandelle bleue pour vous détendre et sensibiliser votre esprit aux moindres détails de votre voyage, une chandelle verte pour obtenir la guérison provenant de la libération de vos souvenirs cellulaires négatifs, une chandelle dorée pour vous rappeler qu'il faut avoir pour vos vies passées la dignité compatissante d'un adulte qui regarde un enfant faire maladroitement, mais résolument ses premiers pas, et une chandelle pourpre pour représenter le Créateur, dont l'amour inconditionnel vous protégera et vous sanctifiera toujours, non pas malgré vos défauts, mais parce que vous avez le courage de les confronter et que vous ne serez jamais satisfait avant d'avoir réalisé votre plein potentiel.

Enregistrement et prise de notes

Plutôt que d'essayer de vous rappeler chaque étape de la méditation et de la régression, vous tirerez davantage profit de votre expérience si vous pré-enregistrez les sections en italique suivantes ou si un ami doté d'une voix agréable et apaisante les pré-enregistre pour vous. Je tiens à ce que vous soyez au cœur d'un processus où l'intensité pourra croître et fluctuer sans être interrompue. Je ne veux pas que vous vous détendiez pour ensuite vous arrêter brusquement en vous demandant : « Et maintenant, qu'est-ce que je dois faire ? »

Vous vous féliciterez également d'avoir enregistré votre régression ou d'avoir demandé à un être cher en qui vous avez confiance de prendre des notes, car voyez-vous, nous ne pouvons pas libérer notre esprit spirituel et nous immerger dans nos souvenirs si notre esprit conscient cherche continuellement à se souvenir de tout ce que nous disons. En fait, plus vous laisserez de côté votre esprit conscient, plus votre expérience sera complète. Tout comme je ne laisse jamais partir mes clients – que la consultation ait eu lieu dans mon bureau ou au téléphone – sans un enregistrement de tout ce qui a été dit lors de notre rencontre, je m'en voudrais si, quelques semaines après votre régression, vous découvriez que votre esprit conscient, surchargé, faillible et occupé comme il l'est, avait perdu certains détails sous une pile de faits banals.

La position de l'observateur

Je vous le rappellerai à nouveau durant la régression, car cela est très important : si je souhaite que vous ressentiez pleinement les moments plaisants, heureux et agréables que vous rencontrerez en chemin, je souhaite également que vous mainteniez une bonne distance entre vous et les événements pénibles et effrayants auxquels vous serez confronté. Ce n'est pas de la lâcheté que de refuser de revivre des moments douloureux. Croyez-moi, je suis passée par là, et je peux vous assurer qu'une seule fois suffit, c'est pourquoi il vaut mieux prendre la position de l'observateur et observer l'événement plutôt que d'en faire à nouveau l'expérience. Certains hypnotiseurs semblent prendre un étrange plaisir à regarder leurs clients se tordre de douleur durant leur régression. À ma connaissance, ce genre de douleur n'a jamais eu aucun effet bénéfique sur mes clients, et si cela n'est pas pour vous aider, pourquoi diable vous faire repasser par là ?

Au cours de la régression, en plus des nombreux rappels que je vous ferai, assurez-vous d'être toujours prêt à dire et à répondre aux mots : « Prenez la position de l'observateur. » Ces mots vous signaleront qu'il est temps de vous éloigner d'une expérience qui pourrait s'avérer blessante et de l'observer avec le même détachement que vous affichez lorsque vous regardez un film dans votre salon. Si quelqu'un est à vos côtés durant votre régression, donnez-lui les mêmes instructions afin qu'il puisse les utiliser si jamais il se rend compte que vous êtes trop effrayé ou bouleversé.

Patience

Je ne vous encouragerai jamais assez à laisser de côté toutes vos opinions et vos attentes lorsque vous vous adonnez à vos exercices de régression. Il n'y a pas de « bonne » ou de « mauvaise » façon de s'y prendre, ni de processus « trop rapide » ou « trop lent », ni un nombre de tentatives « requis » pour y parvenir. Le simple fait d'essayer est déjà une victoire en soi. Vous serez récompensé pour tous vos efforts, que ce soit en découvrant des souvenirs cellulaires enfouis dans votre esprit ou en obtenant quelques instants de détente et de concentration.

Ne vous mettez pas de pression sur les épaules. Oubliez-vous. Ne perdez pas votre temps à chercher à savoir s'il y a des « bonnes » ou des « mauvaises » réponses. Toutefois, que vous disposiez de peu ou de beaucoup de temps, il importe qu'il soit entièrement consacré à vous. Exigez-le, demandez-le, prenez-le à bras le corps, et ne vous avisez pas de craindre le moindre échec. Car au cours de ce formidable processus, craindre l'échec, c'est craindre quelque chose d'impossible.

La méditation et la régression qui suivent sont divisées en trois parties distinctes afin de correspondre à vos objectifs personnels. Il est important que vous les exécutiez dans l'ordre où elles sont présentées, mais encore une fois, allez-y à votre propre rythme, jusqu'à ce que vous soyez à l'aise avec chacune d'entre elles. Si jamais on vous interrompt ou que votre esprit se met à vagabonder au point que vous ne puissiez plus le remettre sur ses rails, ce n'est pas grave, vous n'avez qu'à vous arrêter. Personne n'est là pour vous juger. Je vous conseille toutefois de ne pas tenter de reprendre là où vous en étiez.

Recommencez depuis le début, en vous rappelant qu'il s'agit d'un processus graduel. Comme pour tout bon exercice – car il s'agit bien d'un exercice pour l'âme et l'esprit – il est important de s'échauffer avant de penser à trouver son rythme.

La première partie consiste en un exercice de relaxation. C'est un excellent travail préparatoire pour la régression qui va suivre, mais c'est aussi une agréable façon de se détendre dans la sérénité, de se libérer du stress, de se recueillir après une dure journée de travail ou se préparer à la journée qui vient. Cet exercice peut durer aussi longtemps qu'il vous plaira, ou, avec un peu de pratique, seulement quelques instants. Idéalement, j'aimerais consacrer une ou deux heures par jour à la détente et à la méditation, mais dans les faits, j'ai de la chance si j'arrive à trouver cinq minutes pour le faire. Alors suivez mon conseil, cet exercice est efficace même si vous le faites sous la douche, en marchant de votre voiture jusqu'à votre bureau ou juste avant de vous endormir.

La deuxième partie consiste à revisiter le passé de votre vie actuelle, et uniquement de votre vie actuelle. Certains parmi vous ont des questions pressantes et légitimes au sujet d'événements qui ont eu lieu au cours de cette vie, et comme nous l'avons vu, plusieurs de nos souvenirs cellulaires, bons ou mauvais, sont issus de la vie que nous vivons présentement. Pour ceux qui ne sont pas convaincus de l'existence des vies passées, rassurez-vous, je ne cherche à convertir personne, même si je suis moi-même persuadée d'avoir raison. Dans un cas comme dans l'autre, vous tirerez d'énormes avantages simplement en complétant la première et la deuxième partie du processus, même si vous n'allez pas plus loin.

La troisième partie jette un pont entre votre vie actuelle et vos vies passées, et les secrets que recèlent les souvenirs cellulaires contenus dans ces vies. Il s'agit d'un voyage fascinant, coloré et instructif, que vous l'abordiez comme un fait ou avec l'ouverture d'esprit qui sied à un esprit sceptique, mais curieux. Vous entreverrez des événements passés dont vous ne soupçonniez même pas l'existence, vous solutionnerez certains problèmes personnels qui vous semblaient mystérieux – en plus d'en découvrir d'autres – et vous découvrirez par vous-même que, si chaque vie a bel et bien une fin, jamais vous n'avez fait l'expérience de ce phénomène irrévocable qu'on appelle à tort la « mort. »

Que vous exploriez seulement la première partie, seulement la première et la deuxième ou toutes les trois, je vous souhaite de guérir et de retrouver tout le bonheur et l'amour que vous avez connus depuis que Dieu a insufflé la vie à votre esprit sacré et éternel. Et je prierai pour vous du fond de mon cœur : *Que la blanche lumière de l'Esprit Saint vous libère et vous guérisse de toutes les douleurs et de toute la négativité contenues dans votre esprit spirituel et dans votre mémoire cellulaire, et qu'elles soient remplacées par la santé, la joie et la conscience constante que les bras de Dieu sont autour de vous pour le reste de votre vie utile, compatissante et éternelle.*

RELAXATION

Prenez la position couchée ou assoyez-vous confortablement dans un fauteuil, en choisissant la position qui vous semble la plus confortable. Desserrez ou enlevez tout ce qui pourrait entraver votre respiration et vos mouvements, même légèrement, ou qui pourrait vous distraire de quelque façon. Si vous choisissez de vous étendre, évitez de croiser les jambes. Si vous êtes assis, assurez-vous que vos pieds sont à plat sur le sol. Dans un cas comme dans l'autre, laissez reposer vos mains sur vos jambes, les paumes tournées vers le haut, dans une position d'ouverture, les poings desserrés, afin d'être prêt à recevoir de Dieu sa grâce, son énergie et sa guérison.

Vous fermez doucement les yeux et vous oubliez tout ce qui vous entoure, à l'exception de la sereine assurance qui se dégage de ces mots et de cette voix en qui vous avez confiance, et qui les porte jusqu'à votre insatiable esprit conscient, puis jusqu'à votre sage esprit spirituel, aimé et aimant. Vous imaginez que la blanche lumière de l'Esprit Saint apparaît comme un voile divin au-dessus de vous, et en même temps, vous respirez lentement et profondément à trois reprises : inspirez, puis expirez à nouveau, inspirez, puis expirez à nouveau, inspirez, puis expirez à nouveau. Chaque fois que vous inspirez, le voile de lumière blanche se rapproche de vous, jusqu'à ce qu'il vous recouvre comme un chaud et doux drap de soie, vous apportant la sereine allégresse que seule la foi peut offrir.

Vous continuez à respirer profondément et régulièrement, puis, en prenant tout votre temps, vous portez votre attention sur vos pieds. Vous sentez leur plante, leur cambrure, chaque orteil, chaque os et chaque muscle, et bientôt, vous prenez conscience de ce flux sanguin qui apporte la vie, qui soulage de la tension, et qui se répand dans chaque cellule et dans chaque pore chaque fois que vous inspirez. La plante de vos pieds se détend, vos muscles s'assouplissent, chaque petit os de chaque orteil est soulagé par la chaleur qui se dégage de la circulation de votre sang, jusqu'à ce que vous sentiez vos veines s'ouvrir toutes grandes pour recevoir avec gratitude ce don de vie. La douleur disparaît. Le stress s'atténue. La grâce de la santé pénètre en vous comme une chaude averse nourrit une terre desséchée.

Lentement, ce soulagement, cette délivrance, cette chaleur, cette poussée apaisante de vitalité commencent à se répandre dans vos chevilles, dans vos mollets, dans les os de vos genoux, dans les longs muscles de vos cuisses.

Vous éprouvez un sentiment de renouveau dans chacun de vos organes, dans chaque tendon et dans chaque muscle, dans toutes les cellules de votre bassin et dans votre estomac. Votre colonne vertébrale se redresse, toute frémissante de vie. Vos poumons se remplissent d'un air pur, frais et parfumé. Votre cœur bat avec la force d'un jeune enfant joyeux, et vous sentez cette même force pomper sa chaleur jusque dans vos épaules, le long de vos bras, et dans tous les doigts de vos mains, jusqu'à ce qu'ils soient complètement détendus.

Cette chaleur purifiante et déferlante atteint votre cou et votre mâchoire, où tant de tension s'est accumulée. Un à un, tous vos muscles se détendent et se laissent aller à cet état de relaxation et de paix. Vous la ressentez aussi dans votre bouche qui se relâche, la tension accumulée s'évanouissant comme un fantôme, sans laisser de trace. Vos sourcils se décontractent, comme si une douce main aimante les caressait tendrement, puis cette même main se pose sur vos yeux et leur procure un soulagement divin.

Tandis que Sa main s'attarde sur vos yeux, vous profitez de cette profonde noirceur pour visualiser un ciel bleu nuit, velouté et sans étoiles, s'étendant à perte de vue. Puis, lentement, au centre de ce riche ciel bleu nuit, un tout petit point de lumière dorée apparaît. Votre attention passe de votre corps apaisé à cette toute petite lumière. Vous la regardez fixement avec fascination, sachant qu'elle symbolise une sagesse sacrée, la sainte dignité de votre divine ascendance et la preuve irréfutable de la vie éternelle que Dieu vous a accordée au moment de votre création.

Puis ce tout petit point de lumière dorée se met à vibrer, à vivre, à rythmer le battement de votre propre cœur. Votre souffle flue et reflue en même temps que la lumière, et vous commencez à vous séparer de toutes les douleurs que vous avez jamais ressenties, de tous les torts, de toutes les colères, de toutes les insultes, de toutes les blessures physiques ou émotionnelles, et vous avez la certitude que vous avez appris toutes les leçons que vous pouviez tirer de ces douleurs, et qu'elles peuvent donc disparaître. Elles ne font pas partie de vous, elles ne servent plus à rien et elles n'ont plus aucune valeur pour vous, et vous vous donnez la permission de vous en débarrasser. À mesure que vous sentez la douleur s'échapper comme une vapeur inoffensive de vos cellules, de votre corps, de votre conscience et de votre sage esprit infini, le petit point doré se met à grandir, à déborder de vie, et devient de plus en plus gros, juste au-dessus de vous, ses rayons effectuant une joyeuse danse pour célébrer votre Créateur.

Soudain, ce point de lumière étincelant et vibrant, maintenant devenu énorme, explose en silence dans le ciel bleu nuit, comme un feu d'artifice céleste, projetant une pluie d'étoiles scintillantes, semblable à une poudre d'or chaude et apaisante, sur votre visage, vos cheveux, vos épaules, vos bras, vos pieds, sur chaque pore et chaque cellule de votre peau, jusqu'à ce que vous soyez débordant de vitalité. Vous avez l'impression de renaître, votre esprit est pur et revivifié, prêt à affronter les défis qui l'ont amené ici et à continuer son voyage dans le futur et le passé intemporel, partout où la main sacrée de Dieu le guidera afin qu'il puisse accomplir sa plus haute destinée.

VOYAGE DANS LE PASSÉ DE VOTRE VIE ACTUELLE

Votre peau brille encore de la pluie d'étoiles, votre corps exulte de voir toute cette puissance et cette énergie, et votre esprit est aussi clair et sans limite que le ciel sans nuages qui passe tranquillement du bleu nuit aux douces couleurs pastel de l'aube. Vous vous retournez et apercevez une épaisse forêt, s'étendant aussi loin que porte le regard.

Vous gardez les yeux fermés tandis que vous les levez, comme si vous cherchiez à voir l'arête de votre nez, puis vous attendez quelques secondes, le temps de compter jusqu'à cinq. Vous vous enfoncez encore plus profondément dans votre esprit spirituel, où attend d'être redécouvert un puits de souvenirs et de sagesse.

Vous reposez vos yeux, puis vous découvrez que pendant ces brefs instants, les arbres se sont écartés, ouvrant devant vous un magnifique sentier infini menant jusqu'au cœur de la forêt. Vous hésitez, mais le parfum des pins, les rayons de lumière dorée qui brillent entre les branches luxuriantes, et la sensation que ce sentier ne vous est pas totalement inconnu vous poussent à aller de l'avant. La blanche lumière de l'Esprit Saint s'intensifie autour de vous tandis que vous demandez à Dieu de vous donner le courage de suivre ce sentier jusqu'au bout et d'apprendre la leçon que vous devez en tirer, grâce à la patience aimante et compatissante qu'Il a mise en vous.

Vous faites un pas en avant, puis vous disparaissez dans la glorieuse intimité de cette épaisse forêt verdoyante. Quelques instants plus tard, vous vous retrouvez dans une paisible clairière où une scène, s'étant déroulée lorsque vous aviez vingt ans, est en train d'être réactualisée dans ses moindres détails. Vous découvrez que vous avez à nouveau vingt ans et vous vous intégrez à l'action. Si aucune scène n'apparaît immédiatement, soyez patient. Attendez et dites-vous qu'à une certaine époque de votre vie, vous aviez en effet vingt ans, et demandez-vous ce qui se passait dans votre vie à cette époque. Que vous vient-il à l'esprit ? Votre premier jour à un nouveau travail, un anniversaire, une veille de Noël, une fête d'étudiants ou un appartement que vous avez habité ? S'il ne se produit toujours rien, détendez-vous. Cela viendra à son heure, car souvent, un détail aussi insignifiant que le souvenir de la première voiture que vous avez possédée, d'une chanson ou d'un film ou d'une émission de télévision que vous avez aimés, suffit à déclencher la réactualisation de la scène. Vous regardez autour de vous, en prêtant attention à toutes les couleurs, à toutes les odeurs, à tous les visages, à ce que vous portez, à votre coiffure, et par-dessus tout, à ce que vous ressentez. S'il s'agit de souvenirs heureux, ou si vous remarquez que vous êtes jeune et en santé, revivez l'instant, prenez-le à bras le corps, imprégnez-vous-en. S'il s'agit de souvenirs déplaisants, ou si vous aviez à vingt ans des problèmes physiques ou mentaux qui se réactualisent à présent devant vous, contentez-vous d'observer la scène sans la laisser pénétrer dans votre psyché. Pendant que vous l'observez, à présent conscient de vos puissantes aptitudes à accéder à votre passé, dites une prière : « Que toute la vitalité, la sérénité et la sécurité de mes vingt ans qui se trouvent enfouies dans mes cellules, demeurent en moi, qu'elles renouvellent mon corps et mon esprit, aujourd'hui et pour toujours. Mais que la blanche lumière de l'Esprit Saint qui m'entoure me libère de toute la négativité, consciente ou inconsciente, qui pèse sur mon esprit depuis que j'ai vingt ans, aujourd'hui, demain, et pour le restant de ma vie spirituelle, afin qu'elle soit heureuse, saine, utile et innovatrice. »

Vous vous éloignez de la scène pour reprendre le petit sentier dans la forêt, marchant avec toujours plus de détermination et de courage, rajeuni par votre visite à votre vingtième année. Les rayons d'or du soleil dansent à travers la verdure bienfaisante qui caresse doucement vos bras chauds et nus, vous exhortant à aller toujours plus loin. Vous vous délectez de la beauté qui vous entoure, sans vous presser. Des oiseaux chantent tout près, vous êtes en sécurité, protégé et serein, et vous ne voudriez être nulle part ailleurs à cet instant magique. Une autre clairière apparaît, et vous vous dirigez vers elle avec confiance.

Une scène s'étant déroulée lorsque vous aviez dix ans a été parfaitement préservée, attendant votre arrivée, et en moins de deux, vous avez à nouveau dix ans. Un autre anniversaire, une autre veille de Noël, un ami, une première journée à l'école, votre chambre d'enfant, votre animal domestique préféré, un cours de piano, un événement, même banal, vous attend, aussi réel que le jour où il s'est produit. Une fois encore, si rien ne se produit, soyez patient et laissez votre esprit conscient vous aider. À quoi ressemblait votre école ? Où viviez-vous à cette époque ? En quelle année étiez-vous ? Qui était votre professeur ? Aviez-vous une matière, un plat ou un jouet préférés ? N'importe quel détail, même le plus insignifiant, est tout ce dont vous avez besoin pour ramener cette scène à la vie et y participer, tout dépendant de votre tranquillité d'esprit. Explorez. Prêtez attention aux détails. Tous ces moments de bonheur sont là pour vous, la tristesse ou la douleur ne sont là que pour vous rappeler que vous avez eu la force et la ténacité de leur survivre. Vous remerciez Dieu pour tout cela, pour le bonheur que vous avez connu et la douleur qui vous a permis de grandir et de survivre, puis, après L'avoir remercié, vous dites une prière : « Que toute la vitalité, la sérénité et la sécurité de mes dix ans qui se trouvent enfouies dans mes cellules, demeurent en moi, qu'elles renouvellent mon corps et mon esprit, aujourd'hui et pour toujours. Mais que la blanche lumière de l'Esprit Saint qui m'entoure me libère de toute la négativité, consciente ou inconsciente, qui pèse sur mon esprit depuis que j'ai dix ans, aujourd'hui, demain, et pour le restant de ma vie spirituelle, afin qu'elle soit heureuse, saine, utile et innovatrice. »

Vous vous attardez aussi longtemps qu'il vous plaira, puis vous quittez la clairière pour reprendre le sentier, de plus en plus stimulé et enthousiaste à chaque pas, fasciné par ces réunions et ces découvertes et libéré de tous les fardeaux inutiles venant du passé. Vous savez que vous êtes en sécurité, vous savez que vous êtes protégé quoi que vous fassiez, vous savez que la main de Dieu est dans la vôtre et qu'Il ne vous laissera pas tomber. Vous prenez conscience de ce qui vous attend dans la prochaine clairière et vous pressez le pas. Votre esprit conscient aurait cru cela impossible, mais votre esprit spirituel est aux commandes à présent : impossible à arrêter, aspirant à connaître son histoire, sachant que même si l'esprit conscient prétend que les miracles sont impossibles, il est désormais fasciné et réduit au silence depuis que ces miracles sont devenus réalité.

Dans la prochaine clairière se trouve le moment de votre conception, le moment où votre esprit est entré dans l'utérus de celle qui vous a donné la vie. Tout comme il se souvient de tout ce qui lui est arrivé, votre esprit peut également accéder à ces souvenirs. N'y réfléchissez pas. Acceptez simplement les images qui se présentent à vous. Et avec un peu de patience, elles se présenteront. Vous avez peut-être des doutes, mais vous êtes curieux, et vous ne pouvez résister à la tentation de jeter un coup d'œil dans la clairière qui vous attend derrière ces quelques arbres.

Au début, vous ne voyez rien que l'obscurité, alors vous avancez plus avant dans la clairière. Une douce brise fait s'entrechoquer les branches des arbres derrière vous, et sans crainte, vous vous retrouvez complètement dans le noir. Vous flottez, en sécurité, aucun son ne se rend jusqu'à vous à l'exception d'un tout petit battement de cœur qui vous rassure. Finalement, vous remarquez que vous avez des mains, des membres et des pieds minuscules qui se meuvent comme des ombres dans l'obscurité. Vous savez où vous êtes. Vous savez que vous avez demandé à y être. Vous savez que vous avez quitté la Maison temporairement, et que bientôt, vous serez introduit dans ce monde dur et imparfait appelé la terre. Tout juste avant de quitter l'AU-DELÀ, vous sentez le contact de Dieu, comme un long baiser sur votre front, et même si la Maison vous manque déjà, vous êtes prêt à affronter cette aventure que vous avez vous-même choisie et planifiée, et vous priez : « Que toute la vitalité, la sérénité et la sécurité de l'AU-DELÀ qui se trouvent enfouies dans mes cellules, demeurent en moi, qu'elles renouvellent mon corps et mon esprit, aujourd'hui et pour toujours. Mais que la blanche lumière de l'Esprit Saint qui m'accompagne dans cet utérus où je suis en sécurité me libère de toute la négativité, consciente ou inconsciente, qui pèse sur mon esprit, aujourd'hui, demain, et pour le restant de ma vie spirituelle, afin qu'elle soit heureuse, saine, utile et innovatrice. Amen. »

VOYAGE DANS LES VIES PASSÉES

Vous vous attardez sans crainte de l'obscurité, puis soudain vous apercevez une éclatante lumière pourpre derrière vous. Vous vous retournez pour l'examiner, mais elle est si brillante, si puissante et si lumineuse qu'elle vous aveugle. Mais elle est aussi envoûtante, pleine d'amour, de sagesse et de compassion. Fasciné, et sachant que vous êtes en sécurité, vous vous avancez vers elle, heureux de sentir la présence tangible de Dieu dans cette riche lueur aimante et sacrée.

Un tunnel s'entrouvre au cœur de la lumière pourpre. À l'intérieur, vous apercevez des murs dorés et étincelants, complexes et magnifiques, apaisants et immobiles. Vos pieds sont impatients d'en franchir le seuil, et instantanément, vous vous déplacez, glissant le long de ce merveilleux tunnel, et vous réalisez que vous voyagez dans le temps, au-delà du moment de votre naissance, de plus en plus loin dans votre passé, au-delà des autres vies et des événements que votre esprit a déjà connus, tandis qu'une voix à l'intérieur de vous vous dit : « Allez au point d'entrée de votre douleur la plus pressante. » Vous comprenez parfaitement ce message.

Cette même splendide lumière qui vous a propulsé à l'entrée du tunnel vous accueille à la sortie, illuminant une vaste carte du monde richement colorée. Cette même voix intérieure que vous avez précédemment entendue vous dit : « Peu importe où apparaîtra mon premier point d'entrée, par la grâce de ma mémoire cellulaire, de mon esprit spirituel et de mon désir de guérir, que ma main m'indique l'endroit sur cette carte. » Sans y penser et sans même regarder la carte, vous laissez votre esprit guider votre main. Puis vous regardez l'endroit où s'est arrêté votre doigt et vous dites avec conviction : « Je demande à mon esprit de m'amener à cet endroit afin de voir la vie que j'y ai menée. »

Votre esprit spirituel, libre et puissant, se plie instantanément à votre demande, et vous vous retrouvez là-bas, dans le passé, dans une toute autre vie, aussi réelle que la vie que vous venez de quitter. Vous regardez autour de vous afin de vous orienter, mais vous êtes trop fasciné par ce qui vous arrive pour être seulement prudent ou effrayé.

Tandis que vous vous familiarisez avec la réalité qui vous entoure, votre esprit conscient demeure attentif, mais ne s'impose pas. Vous obtenez immédiatement les réponses à vos questions, sans jugement de valeur et sans censure. Il n'y a pas de mauvaises réponses. Seuls comptent les premiers mots qui sortent de votre bouche.

Où êtes-vous ?

Connaissez-vous votre nom ou votre prénom ? Si la réponse est non, cela n'a pas d'importance.

Êtes-vous un homme ou une femme ?

À quoi ressemblez-vous ? Êtes-vous grand ? Petit ? Mince ? Courtaud ? De quelle couleur est votre peau, vos cheveux, vos yeux ? Que portez-vous, si jamais vous portez quelque chose ? Si vous avez du mal à vous faire une image nette de vous-même, tâchez de voir votre réflexion dans un miroir, une vitrine ou dans l'eau d'un étang ou d'une rivière, ou encore sur un morceau de métal ou dans une fenêtre, puis décrivez en détail ce que vous voyez.

En quelle année êtes-vous ?

Où vivez-vous ?

Vivez-vous seul ?

Si la réponse est non, qui vit avec vous ? Reconnaissez-vous autour de vous des gens que vous avez connus dans la vie que vous venez de quitter ? Qui étaient ces gens pour vous, et qui sont-ils à présent ?

Êtes-vous en santé ou malade ?

Si vous êtes malade, quelle est votre maladie ou votre handicap ? Quand cela a-t-il débuté ?

Êtes-vous heureux ou malheureux ?

Si vous êtes heureux, pourquoi l'êtes-vous ? Si vous êtes malheureux, pourquoi l'êtes-vous ?

Quel est votre thème de vie ?

Quels sont les meilleurs aspects de cette vie-ci ?

Quels sont les pires ?

Vous avez choisi ce moment parmi tous ceux qui composent votre histoire éternelle et atemporelle, afin que soit révélé le point d'entrée menant à vos souvenirs cellulaires les plus douloureux. Pourquoi ce moment, ces circonstances ou cet événement ont-ils eu autant d'impact sur vous ? Quelle en est la cause, qu'est-il essentiel que vous compreniez ?

À nouveau, il ne s'agit pas de vous juger ou de vous censurer. Parlez librement. Dites tout ce qui vous passe par la tête. Votre esprit spirituel attend depuis très longtemps cette occasion de se libérer de son fardeau, et par conséquent, d'apprendre aux cellules de votre corps qu'elles sont guéries.

Lorsque vous serez prêt, mais pas avant, je veux que vous commenciez à explorer cette vie passée que vous êtes en train de revivre. Où étiez-vous un an après ce point d'entrée ? Cinq ans après ? Dix ans après ? Jusqu'à la fin de vos jours dans cette vie en particulier ?

À présent, je désire que vous alliez à ces moments qui ont précédé votre « mort » dans cette vie. Mais d'abord et avant tout, sachez que votre peur de la mort, en tant qu'annihilation totale, est infondée, car même si vous vous voyez « mourir » dans une vie passée, vous êtes toujours ici avec nous, des années, des décennies, voire des siècles plus tard, et vous êtes toujours la même personne.

Une fois que ce point aura été indéniablement éclairci, regardez la « mort » en face. Si vous trouvez cela trop effrayant ou douloureux, contentez-vous de l'observer comme si vous étiez un bon journaliste.

Quelle maladie ou blessure a causé votre mort ?

Où êtes-vous ?

Y a-t-il des gens autour de vous ? Si oui, qui sont-ils ?

Êtes-vous peu enclin à ou content de quitter cette vie ?

Au cours de ces derniers moments, êtes-vous conscient de la joyeuse réalité qui vous attend dans la Maison de l'AU-DELÀ ?

À présent, au moment où le tunnel commence à apparaître pour vous ramener à la Maison, je veux que vous immobilisiez tout ce qui vous entoure, comme si vous appuyiez sur le bouton « pause » de votre magnétoscope, et que vous récitiez cette prière :

« Mon Dieu, merci de m'avoir donné le courage de faire face à ce moment où mon esprit spirituel et mes cellules se sont chargés de ce fardeau contre lequel je me débats depuis. Au moment de ma mort dans cette vie, que la blanche lumière de l'Esprit Saint me libère, aujourd'hui et pour toujours, de ce fardeau et de toute la négativité que je porte depuis ce temps, afin que je puisse consacrer ma nouvelle liberté, joyeuse et éternelle, à Votre service pour le reste de la vie spirituelle que Vous m'avez donnée. »

Finalement, lorsque vous serez prêt à revenir, je veux que vous retourniez dans votre corps et à votre vie actuelle au compte de trois, détendu, au sommet de votre forme, croyant et serein, libéré du fardeau qui oppressait votre esprit spirituel afin que l'amour de Dieu puisse purifier vos cellules de toutes les ténèbres et de toutes les douleurs restantes.

Un. Vous ouvrez lentement les yeux.

Deux. Revigoré et débordant de vitalité, vous levez la tête.

Trois. Parfaitement éveillé et régénéré, vous remerciez Dieu et vous-même pour ce nouveau départ que vous vous donnez en ouvrant votre esprit et votre cœur aux secrets enfouis dans votre mémoire cellulaire.

Cette méditation en trois étapes peut être utilisée pour diverses fins et modifiée afin d'inclure les éléments d'imagerie qui vous tiennent à cœur et qui feront de votre voyage dans le temps une expérience aussi réelle que possible. Vous aimeriez peut-être explorer un talent particulier que vous aviez dans une autre vie. Vous aimeriez peut-être revisiter le jour qui suivit votre naissance. Ou vous aimeriez peut-être revisiter une vie passée pour voir où, quand, et comment vous avez rencontré un être cher ou un ennemi actuel.

Mais je vous recommande de commencer par cet exercice purifiant et revigorant, et de le répéter, sous une forme ou une autre, au moins une ou deux fois par mois. La mémoire cellulaire est puissante. Elle peut vous servir ou vous desservir, tout dépend de vous, ce qui fait de vous un être encore plus puissant que la mémoire cellulaire. Tout ce que vous avez à faire est de prendre conscience de son existence et de son origine, puis, avec l'aide de Dieu, vous purifier des éléments négatifs, embrasser les éléments positifs, et presque immédiatement, je vous le promets, vous apprécierez davantage chaque jour de cette fabuleuse aventure que vous avez vous-même choisie.

LA SENTINELLE

Une fois que vous serez libéré du fardeau physique et émotionnel qui pesait sur votre mémoire cellulaire, vous voudrez demeurer libre et vous protéger de toute nouvelle maladie ou de tout autre événement négatif qui pourraient interférer avec votre tout nouveau bien-être. L'une des façons les plus simples et les plus rapides d'y arriver consiste à utiliser une technique de visualisation que mon Guide Spirituel, Francine, m'a apprise, et qu'elle appelle la Sentinelle.

La Sentinelle est simplement l'image d'une personne, homme ou femme, comme il vous plaira, mesurant environ trente centimètres de haut, armée pour se défendre, et montant la garde vis-à-vis votre plexus solaire, à la hauteur de votre sternum et de votre abdomen. J'utilise l'image d'un homme, vêtu comme un gladiateur, muni d'un bouclier, d'un casque et d'une lance en or, portant un vêtement de couleur pourpre et se tenant au garde-à-vous – un gardien symbolique, rayonnant dans la blanche lumière de l'Esprit Saint. Je m'arrête plusieurs fois par jour pour visualiser cette image.

Vous pouvez faire appel à la Sentinelle chaque fois que vous le désirez, simplement en fermant les yeux et en l'imaginant à son poste, l'épée tirée et prêt à terrasser tous les éléments négatifs qui vous entourent. Mais la Sentinelle est particulièrement efficace après une séance de méditation ayant pour but de purifier votre mémoire cellulaire, lorsque vous êtes au sommet de votre forme et plein d'énergie. La Sentinelle peut devenir votre secret le mieux gardé, créée afin de vous rappeler que Dieu, votre Guide Spirituel, vos Anges et l'esprit des êtres chers que vous avez connus dans cette vie et dans vos vies passées, vous aident et vous protègent à toute heure du jour et de la nuit, et que tout ce que vous avez à faire est d'en prendre conscience.

La bénédiction : une prière pour guérir

Mon Dieu, mon Père et ma Mère,

Bénissez-moi afin que mon esprit, mon âme et mon corps physique soient fortifiés, moi qui suis le reflet de la sainte Trinité. Ce faisant, je ramasserai tous les creusets, toutes les coupes, et je les remplirai à ras bord, pour que mon corps recouvre la santé. La santé, cette eau qui jaillit de la fontaine éternelle qu'est Azna, la Mère Dieu. Comme une mère nourrit son enfant, ainsi Azna me nourrira.

Je serai en santé ; je serai en forme ; et ma conscience, mon corps, mon esprit et mon esprit supérieur seront forts.

Rien ne pourra m'atteindre. Aucunes ténèbres n'envahiront ma conscience.

Ma Sentinelle me protègera de toutes les maladies, de tous les germes, de toutes les fièvres et de toutes les autres méchancetés de ce monde.

Je serai sain de corps, d'esprit et d'âme jusqu'à la fin de ma vie, puis, dans la dignité, je retournerai dans ma Maison.

Je demande chaque jour la protection de l'Esprit Saint, par la grâce de l'amour de Dieu, Père et Mère. Et que cet amour, qui est si fort, me protège de tous les projectiles et des flèches qui pourraient venir des envahissantes ténèbres.

Si je suis malade, je le nierai. Je déposerai mon être entre les mains de la divine Azna afin qu'elle me console, me guérisse et me donne la force d'être à nouveau entier.

Si ma maladie vient d'une autre vie, que la blanche lumière de l'Esprit Saint m'en délivre.

Je le demande, au nom du Père, de la Mère, du Fils et du Saint Esprit.

Amen.

AU SUJET DE L'AUTEURE

Sylvia Browne agit à titre de médium depuis près d'un demi-siècle. Elle est l'auteure de *Les bénédictions de l'Au-delà*, ainsi que des best-sellers *The Other Side and Back* et *La vie dans l'Au-delà*.

Pour plus d'information sur Sylvia Browne, consultez son site Internet : www.sylvia.org

Québec, Canada
2002